عقل سيّئ السمعة

رواية

عقل سيّئ السمعة

زينب حفني

صدرت عام 2015 عن **نوفل**، دمغة الناشر هاشيت أنطوان

سنّ الفيل، حرج تابت، بناية فورِست
ص. ب. 0656-11، رياض الصلح، 2050 1107 بيروت، لبنان
info@hachette-antoine.com
www.hachette-antoine.com
www.facebook.com/HachetteAntoine
twitter.com/NaufalBooks

تصميم الغلاف: **معجون**
صورة الغلاف: **Mohamad Itani / Trevillion Images** ©
تصميم الداخل: **ماري تريز مرعب**
متابعة النشر: **رنا حايك**
طباعة: **Chemaly & Chemaly**

ر.د.م.ك.: 978-614-438-368-1

جميعنا تربض بذرة جنون في زاوية من عقولنا...

ما أحوجنا أحياناً إلى نبشها كي نشعر بإنسانيّتنا

شموع ميلاد مفقودة

1

لم أحبّ أحداً في حياتي كما أحببتُ أمّي. ولم أكره أحداً في حياتي كما كرهتُ أمّي. هي تستحقّ أن أحبّها وأن أكرهها في الوقت نفسه. تتأرجح مشاعري بين نقيضين تجاهها. أمّي التي كانت سبباً مباشراً لوجودي في الدنيا، هي كذلك منبع تعاستي. معادلة صعبة قد لا يتقبّلها الكثيرون! أرفض أن ينصب لي أحدٌ المشانق ويُردّد أنّني ابنة جاحدة لا تؤمن بقانون البشريّة. نحن لا نختار آباءنا ولا أمّهاتنا، لذا ليس مفروضاً علينا أن نحبّهم إلى أبد الآبدين! بيدنا القرار في دفع قلوبنا لإحدى الكفّتين. لا أخشى القول إنّني إنسانة روحها تتأرجح بين الفضيلة والرذيلة. لا أملك جناحيْ ملاك ولا أحمل قرنيْ شيطان. حياتي منذ بدايتها كانت تأخذ بُعدين، كأنّها نهر صاخب انشقّ لمجريَيْن متباينَيْن منذ لحظة ميلادي إلى لحظتي هذه. كانت هناك دوماً محطّات رائعة تستكين لها نفسي، وكانت هناك أيضاً أعاصير عاتية أفقدتني توازني. تبّاً لتركة ذكرياتي السوداء الجاثمة على قلبي! لماذا لا تكفُّ عن مهاجمة فكري بضراوة وبدون سابق إنذار؟ سأسعى لوقف ضرباتها الموجعة بكامل قوّتي. لجمتها بعنف. باغتتني رجفة غريبة! تلفتُّ حولي. ألفيتُ نفسي مسترخيةً على سريري. كان جوّ الغرفة بارداً

برغم إغلاقي لجهاز التكييف. نظرتُ لساعة هاتفي النقّال. كانت تُشير إلى التاسعة مساءً. التاريخ المدوّن على شاشته يُشير إلى أنّنا على وشك الدخول في العاشر من شهر فبراير. في مثل هذا اليوم وُلدت. سأدلف بعد ساعات قليلة إلى أعوامي الثلاثة والثلاثين. في ذروة أنوثتي. في السنّ التي تكون عليها النساء في الجنّة كما تقول الأحاديث النبويّة. كلّ هذا لم يعد يعني لي شيئاً. كنتُ مثل ورقة مصفرّة عالقة بغصنٍ يابس لا جدوى منها. كان الصمت الذي يُحيطني من كافّة الاتّجاهات، والسكون الموحش الذي يُحاصرني داخل سياجه، يُشعرانني بالصقيع! أين شموع عيد ميلادي؟ لا أسمع أحداً يُغنّي لي Happy birthday to Wijdan. قمتُ من مكاني. ضغطتُ على جهازي «آيبود». اخترتُ أغنية وليد توفيق «أرقص يا جميل عالساحة...». رفعتُ الصوت عالياً. ردّدتُ كلماتها وأنا أتمايل أمام المرآة ببنطالي الجينز وقميصي القطني الأبيض القصير الكمّين. لماذا لم يُحضر لي أحد كيكة عيدي؟ أعشق قالب الحلوى المحشوّ بالكراميل. غداً سأوصي على واحد كبير. سأدعو كلّ من أعرفه لحضور حفلتي. سأرتدي فستاني الزهري. أحبّ هذا اللون، يُبهجني، يعكس نضارة على صفحة وجهي المصفرّة على الدوام. سأصفّف شعري بطريقة مغايرة، وأغرز فيه مشبكاً فضّياً مُزيّناً بفصوص سواروفسكي. منذ زمن بعيد لم أحسَّ بالحبور، كأنّ قدري أن أدلق كلّ ليلة كأساً من الشقاء في جوفي وأترنّح وجعاً من مرارة طعمها. توقّف فجأة جهاز «آيبود». خرست الموسيقى. هجم وحش الصمت عليَّ دون أن يلقى منّي أدنى مقاومة. الوحدة تنهش روحي. عاد سيل الذكريات يتدفّق من جديد في ذهني كالسيل العارم ويجتاح جوارحي. كثيرة تلك الصور التي أخذت تتوالى مشاهدها بخاطري. وددت لو أنّ بإمكاني إيصاد أبواب حياتي للأبد، كي أستريح من هودج الماضي الذي يترنّح بي، فأتشبّث به بقوة كي لا أسقط من

فوقه وتتكسّر ضلوعي. الذكريات تحكُّ جلدي بأظافرها الحادّة. أياديها تمسك بتلابيبي. أبواقها تصيح في طبلتيْ أذني، تكاد تمزّقهما من قوّة رنينها. أتعثّر، أعاود الارتماء على فراشي. أشرّع نوافذي. آخذ نفساً طويلاً. رياح الذكريات تصفع وجهي بلا هوادة. أستسلم لغيّها. أدع ضبابها القاتم يجثم على صدري ويعبث بفكري.

2

لم تكن طفولتي عاديّة. مشاعر أبي المغموسة بالحبّ هي ما كان ينشر الطمأنينة في قلبي. كان يُدلّلني على الدوام. تعوّد تولّي شؤوني بنفسه وتلبية طلباتي. يُحيطني بعطفه وحنانه. كانت عيناي بدون أن أدري تبحثان عن معنى كبير أفتقده في أعماقي. كنتُ أنبش في دائرة اللاوعي عن أمّي. كان الغموض يُحيط بتساؤلاتي، وعلامة استفهام صغيرة تؤرّقني وتتّسع دائرتها يوماً بعد يوم في عقل طفلة صغيرة، لم تتخضّب يداها بعد بتجارب الحياة، متمثلة بعبارة مقتضبة: «لماذا أمّي ليست كسائر أمّهات أقربائي ورفيقاتي في المدرسة؟».

أبي كان يكبر أمّي بسنوات عـدّة. تزوّجته في سنّ صغيرة. أنجبتني وهي لم تكمل بعد عامها السابع عشر. وقع أسير جمالها الفاتن من النظرة الأولى. ظلّ يترقّب بلهفةٍ ازدهار أوراق أنوثتها. لم يعبأ بسجلّ أمّها المرضي ولا بالتحذيرات التي كان يلقيها في أذنه كلّ من سمع عن نيّته الاقتران بها. كان منتهى أمانيه أن تُصبح شريكة حياته. حكى لي كيف أتيتُ إلى الدنيا بعد عراك شرس مع أخي داخل بطنها. كاد أن يطير من الفرحة حين أخبره الطبيب في الأسابيع الأخيرة قبيل ولادتي، أنَّ هناك على الأغلب، في بطن أمّي، توأماً. أصرَّ

على أن يحضر لحظات خروجي للحياة. كانت يدا أمّي تُمسكان بكلّ قوة بيديه. أوصاله ترتجف خوفاً عليها وهي تزعق بأعلى صوتها منادية عليه. ولادتها جاءت متعسّرة. رغب الطبيب في مصارحته بخطورة وضع أمّي. اصطحبه إلى خارج غرفة العمليات. قال له بنبرة قلقة وجبينه يتفصّد عرقاً: «آسف أستاذ حامد، لا أستطيع الانتظار أكثر من ذلك. لا بدّ من التضحية بأحد الجنينين. حالة زوجتك خطرة». رفض أبي أن يختار بيني وبين أخي. رمى حمولته على الله. خاف أن يسأله أخي يوم القيامة عن سبب تفضيلي عليه! ترك أمر الاختيار لربّه. لا أدري إن كان الله قد آثرني على أخي، أم رغب في أن يجعله طيراً في الجنّة ويُذيقني مرارة الألم وحدي؟ هل أدرك ربّي بعظمته الإلهيّة أنني كنتُ متشبّثة أكثر بالحياة فأعطاني ما أُريد؟

بعد ولادتي مباشرة ظهرت على أمّي أعراض مرض جدّتي. ظنّ أبي في البداية أنّ ما بها ربّما كان من أثر النفاس الذي تتعرّض له بعض النسوة. بدأت تفقد شهيّتها للأكل ونقص وزنها عدّة كيلوغرامات، وأصبح نومها مضطرباً. تظلّ في معظم الأحيان مستيقظة في سريرها وعيناها تحدّقان بسقف الغرفة إلى أن يظهر ضوء النهار. كان أبي يفيق مرتاعاً على صراخها، فتخبره وهي تبكي عن الكوابيس التي تراها في نومها، وأنّ هناك أذرعاً طويلة تُطبق على عنقها. تتخيّل أصواتاً تصرخ في أذنيها، وأطيافاً تُحاصر سريرها. تتضرّع إليه أن يُبعدها عنها. بدأت الخيبة تتسرّب إلى داخل أبي. لمّح له جدّي بنبرة قلقة وقلب واجف أن يعرضها على طبيب نفسي. تفهّم الطبيب طبيعة مرض أمّي. كتب لها دواءً يُساعدها على النوم وأدوية أخرى لمعالجة عوارض الاكتئاب. تحسّنت حالة أمّي بعد أسابيع قليلة. أشرق وجه أبي. شعر بأنّ الدنيا عادت تدقُّ طبول الفرحة من جديد في بيته. كان الطبيب قد نبّهه إلى عدم ترك أمّي بمفردها، أعلمه بأنّ من الممكن

أن تـؤذي نفسها ومـن حولها بـدون أن تـدري. وضـع نصب عينيه تحذيرات الطبيب وأخذها على محمل الجدّ. عندما بلغتُ السادسة انتقل بنا أبي إلى شقّة أوسع في الدور الرابع. عمارة حديثة البناء مكوّنة من أربعة طوابق وتقع في حيّ النعيم. لها باب حديدي أسود مطعّم باللون الذهبي، وزُيّن جانبا المدخل بقالبين طينيين زُرعت فيهما أعواد من الزهور المختلفة الألوان والعديمة الرائحة. خصّص لي أبي غرفة في البيت الجديد. استقدم لي مربّية لترعاني في غيابه، لم تكن تُفارقني أبداً. تطلُّ واجهة البناية على حديقة صغيرة. عندما يكون الجو صحواً، تصطحبني المربّية إلى الحديقة لألعب بالأرجوحة الحديديّة الوحيدة الموضوعة هناك. تضعني عليها وتدفعني برفق إلى الأعلى وتتركها تنحدر بي للأسفل فأحسّ بفرحة تغمرني.

كنتُ ألمح أمّي أحياناً واقفة خلف زجاج النافذة تلوّح لي باسمة، لكن في أغلب الأوقات كانت الأدوية التي تتناولها تسحبها إلى عوالم أخرى! كانت آثارها مدمّرة على بدنها، وتُصيبها بآلام شديدة في معدتها مصحوبة بقيء مفاجئ، وعدم قدرة على التركيز، مع ضعف في الحركة والرؤية البصريّة. تتأفّف من أدويتها. تُغافل أبي وتمتنع عن تناولها، فتُعاودها من جديد أعراض المرض، وتدخل في حالة الهوس. ألاحقها بعينيَّ وهي تتجوّل في أرجاء البيت، بملابس ضيّقة تُظهر مفاتن جسدها، ومساحيق فاقعة على وجهها، ضاحكة بهستيريّة. تدير جهاز التسجيل وترقص على أغاني طلال مدّاح ومحمد عبده. تلمحني أقف عند باب غرفتي. تتّجه نحوي. تضمّني بقوة إلى صدرها. رائحة الخمر تفوح من فمها. أشعر بالاختناق. أدفعها بذراعيَّ الضئيلتين. أهرع إلى أحضان مربّيتي. يُفاجئني بين وقت وآخر في الهزيع الأخير من الليل صوت نحيبها، وتصحو في اليوم التالي وقد بدا على وجهها الإنهاك والتعب وجفناها السفليّان

متقرّحان، منتفخان، وشفتاها متشققتان بيضاوا اللون، وقد رُسم عليهما الامتعاض، ويخرج صوتها متعباً متهدّجاً، كأنّها ظلّت طوال الليل تسير على قدميها بحثاً عن رشفة ماء!

كانت لدينا خادمة إندونيسيّة متوسّطة العمر. ألفتُ وجودها في بيتنا منذ وعيتُ على الدنيا. كانت المسؤولة عن إدارة شؤون المنزل، وعن طهو الطعام في حضور أمّي وفي فترات غيابها الطويلة. عند سفرها في إجازة لزيارة أهلها في إندونيسيا، كانت حال البيت تنقلب، فيُضطّر أبي لإحضار خادمة مؤقتة تقوم بمهامّها إلى أن تعود من بلدها.

العادة الوحيدة التي كانت أمّي تحرص عليها هي صُنع قهوتها الصباحيّة بنفسها. أسمعها تقول لأبي باسمة: «أشعر بمتعة وأنا أعدُّ فنجان قهوتي بيديّ». كانت تترنّم بأغاني فيروز وهي تُقلّب دلّة القهوة على عين البوتاجاز منتظرة غليانها، لكنّها كانت تنقطع عن عادتها عندما تسقط في بؤرة الكآبة! يُصبح البيت موحشاً بغياب صوتها الشجيّ كأنّ الأشباح سكنته. ما زلتُ أتذكّر تلك الواقعة جيداً. اعتاد أبي أخذ قيلولته على الأريكة الكبيرة بغرفة الجلوس. كان يحلو له مراقبتي وأنا ألعب بجواره إلى أن تغفو عيناه. استيقظ أبي على صراخ الخادمة، قائلة له بنبرة هلعة: «أبويا، أمّي خرج برّه». هبَّ أبي من فوره. لحق بها وعادت برفقته حافية القدمين، وقد تناثرت خصلات شعرها على وجهها فبدت كمتسوّلة. كانت أمّي قد خرجت بثوب البيت وبدون عباءة إلى الشارع. بعد أن كرّرت فعلتها مرّات عدة، حرص أبي على إغلاق الباب الخارجي للشقة بالمفتاح ودسّه في مكان بعيد عن نظرها.

كلّما ظهرت على أمّي أعراض المرض، كان أبي يهرع بها إلى طبيبها المعالج، فتُعلن حالة الطوارئ في بيتنا، وتظلّ قائمة إلى أن

يعود إلى أمّي صوابها، فتعمّ الفرحة بيننا وتُشرق السعادة على وجوه الجميع. حذّر الطبيب أبي من حمل أمّي، وأنّ حملها للمرة الثانية سيكون كارثيّاً عليها وعلى الجنين. كان يسرح في وجهي وهو يُلاعبني. ألمح دموعاً تترقرق في عينيه محاولة الاختباء من نظراتي الطفولية. كلّ هذه الأحداث لم ألتقطها في صغري. علمت الكثير منها على لسان أبي بعد أن شببت عن الطوق. حاصرته حينها بآلاف علامات الاستفهام الكامنة في أعماقي، والباحثة عن أجوبة شافية ليستسلم في نهاية الأمر لإلحاحي! وبعضها كان قد تسرّب إلى أذنيَّ صدفة وأنا أسترق السمع إلى الأحاديث الدائرة من حولي عن مرض أمّي.

قضيتُ طفولتي متنقّلة ما بين بيت جدّي لأمّي وبيتنا. كنتُ متعلّقة بجدّي الذي رعاني وأغدق عليَّ الكثير من الحبّ. تعوّدتُ قضاء عطلة نهاية الأسبوع عنده، وتكثر زيارتي له إذا انشغل أبي بظروف مرض أمّي. أقيم في بيته فترات أطول في العطل الصيفيّة. كان جدّي قد خصّص لي غرفة نوم أمّي القديمة، وغيّر أثاثها، وكسا جدرانها بورق زاهي الألوان كي تروقني. ترك على الحائط صورة كبيرة لأبي وأمّي، التقطها لهما المصوّر ليلة زفافهما. كان أبي يبدو فيها يافعاً وقد جلس على كرسيّ جلدي له يدان مذهّبتان، وأمّي واقفة بجواره وقد وضعت يدها على كتفه. بدت أمّي في فستانها الأبيض مثل حوريّة من حوريّات الجنّة في روعة حسنها، وقد أظهرت فتحة الصدر حلاوة ثدييها وعاجيّة جيدها. كان جدّي يعني لي الكثير. تعوّدتُ على حكاياته المشوّقة التي كان يرويها لي إلى أن أغفو بجانبه. وفي ساعات العصر كنتُ أنزل إلى الحديقة وألاحق الفراشات، وأصيح مبتهجة إذا ما أمسكتُ بإحداها، فأهرع إليه وأنا قابضة عليها بين كفّي، فيضعني على ركبتيه ويقبّلني بحبّ على جبيني ويسألني برفق أن أطلق سراحها. كان كلّما سألته عن سبب طلبه هذا شرد بناظريه

وردّ بأنّه لا يُريدني أن أحرمها من العودة إلى أحضان أمّها. لم أعِ أيّامها أخاديد الحزن التي كانت محفورة على وجهه، قشعتها لي الأيّام لاحقاً. أتذكّر ذلك اليوم جيداً، كانت أمّي قد فقدت مؤقتاً ذاكرتها نتيجة الجلسات الكهربائيّة التي تعرّضت لها على مدى أسابيع عدّة. عادت إلى البيت بصحبة أبي. كان جدّي لا ينقطع عن زيارتها في المستشفى يوميّاً. يوم عودتها أخذ ينتظر قدومها بلهفة في صالة الجلوس، وقد طغت على وجهه أريحيّة السرور. حين دخلت، اقترب منها محاولاً ضمّها، عاتبته بنبرة غاضبة عن سبب انقطاعه عن زيارتها طوال فترة مكوثها في المستشفى، وأولته ظهرها وأغلقت باب حجرتها عليها. انتحى جدّي جانباً. رمى بجسده على أقرب مقعد. أخذت دموعه تتساقط كزخّات المطر في أواخر الخريف. وقفتُ بجانبه. ربّتُّ بكفّي الصغيرة على يده، وقلت: «جدّي، هل الكبار يبكون؟». أجابني بحرقة: «نعم يا ابنتي، عندما يكون الألم شديداً ولا نملك حيلة لإيقافه!».

3

كنتُ في التاسعة من عمري حين لطمتني على وجهي أوّل صدمة وزلزلت كياني! تلازم ذلك مع عودة عمّي محمود ابن عمّ أبي الذي يقاربه سنّاً، من كندا. كان قد عاش فيها ما يزيد على أربعة عشر عاماً. سافر إليها في سنّ الثامنة عشرة بعد تخرّجه من الثانويّة العامة، وعاد منها وهو في أوائل ثلاثينياته. أنهى دراسته الجامعيّة ورسالتي الماجستير والدكتوراه فيها. كان من أوائل الأطبّاء الذين تخصّصوا في جراحة القلب والشرايين. تعوّد كلّما أتى لزيارتنا أن يحمل لي الكثير من الألعاب. أسعد بقدومه. أحبّ ممازحته لي. كان يُضفي بخفّة ظلّه وروحه المرحة جوّاً من البهجة على المكان.

ذات مرّة دعانا عمّي محمود إلى الغداء في متنزّه العنبريّة للأسماك، الذي كان قد افتُتح حديثاً قرب قرية ذهبان، فسأله أبي حينها:

– لماذا لم تتزوّج حتّى الآن يا محمود؟

انفرط عمّي محمود في الضحك حتّى بانت نواجذه:

– حامد، أنتَ تعلم أنّني سافرتُ صغيراً. لا أكذبك القول كنتُ خائفاً من الغربة والعيش في مكان بعيد بمفردي بعيداً عن والديّ.

أَلِفتُ مع مرور الوقت المكان. انهمكتُ في دراستي. أصبحت لي صداقات كثيرة من الجنسين. فكرة الزواج وبناء أسرة تبخّرت مع مرور الوقت، ولم تعد تمرُّ بخاطري إلّا لماماً، رغم إلحاح والدتي كلّما جئتُ لزيارتها. صدّقني، للعزوبة طعم لا يُقاوم.

– محمود، أعلم بأن تكوين أسرة ليس سهلاً ويجب على المرء أن يدفع ضريبة كبرى من أجلها، وخاصّة أنّها تُكبّلك بمسؤولياتها، لكن لا تنسَ أنّها سنّة الحياة. عندما يشيخ المرء لا يبقى له سوى دفء الأسرة وحبّ الأبناء، وكومة من الذكريات لأناس أحببناهم بصدق ورحلوا غصباً عن دنيانا، وآخرين أوجدتهم الأقدار صدفة في طريقنا وعندما انتهت مهامّهم عادوا من حيث أتوا.

ردَّ عمّي محمود مازحاً:

– يكفي واحد منّا دخل القفص برجليه، وعلى الآخر أن يظلّ حرّاً طليقاً لينقذه من ويلات الزواج إن لزم الأمر. دعك من هذا الحديث ولنستمتع بأكلة السمك الجدّاويّة. أتعرف يا حامد أنّ سمك السيجان والناجل والهامور من الأشياء التي افتقدتها هناك وتُغريني دوماً بالعودة إلى جدّة؟ لكن تظل طريقة أمّي رحمها الله في طهوه بجميع أنواعه وأشكاله الطريقة الفضلى التي لا مثيل لها في كلّ أرجاء العالم.

كان عمّي محمود يمتلك قامة رياضيّة طويلة بعضلات مفتولة. كان تماماً على نقيض أبي في بنيته الضئيلة، وبقامته المربوعة. جمع بينهما بهاء الطلّة وعذوبة اللسان ولون البشرة القمحي وغزارة شعر الناصية وكثافة الشارب وانخراط اللحية. يشهد الجميع لعمّي محمود بالفطنة والذكاء، وأهمّ ما كان يُميّزه تلك النظرات الثاقبة التي تُحفّز كلّ من يُقابله على توخّي الحذر منه! كانت مجمل أحاديثه تدور حول تجاربه التي مرَّ بها أثناء فترة دراسته في كندا. كانت لمعة الإعجاب تشعُّ في عينيْ أبي، وهو يرهف السمع إليه. كانا بين حين وآخر

يسترجعان ذكريات طفولتهما. لم أسمع أمّي يوماً تُعلّق على أيٍّ من قصصه أو تُشارك في حواراتهما. كانت صفحة وجهها تبدو خالية من أيّ تعابير، كأنّها قادمة من كوكب آخر لا علاقة لها بما يجري على الأرض.

أبي كان يثق بعمّي محمود ثقة عمياء. أحياناً بحكم عمل أبي كمدير فرع لأحد البنوك، يُضطر للسفر إلى الرياض أو الدمام لحضور اجتماعات سريعة. لم تكن تستغرق رحلاته أكثر من يوم أو يومين، يزورنا عمّي محمود خلالها للسؤال عنّا، حاملاً لي كعادته هديّة جميلة من هداياه. كان يدنو منّي ويحملني على كتفه، فأُشبّك ذراعيَّ الصغيرتين برقبته، وأقبّل وجنتيه، وأحمل لعبتي الجديدة وأجري بها إلى غرفتي.

متى كرهتُ عمّي محمود؟ كان أبي في رحلة سريعة للرياض كعادته. كنتُ نائمة في غرفتي تلك الليلة، حين استيقظتُ فزعة على أحد الكوابيس التي اعتدتُ رؤيتها في مناماتي. كانت مربّيتي في إجازة طويلة في بلدها، وأحضر أبي كالعادة خادمة أخرى بديلة منها. لا أعرف أين كانت في ذلك الوقت! ركضتُ صوب غرفة أمّي. كانت الصالة مظلمة. يتسرّب من غرفة أمّي ضوء خافت. استطعتُ تمييز وجه عمّي محمود من انعكاس الضوء على وجهه. كان صدره عارياً يُغطّيه شعر كثيف. أمّي لم أميّز منها سوى شعرها الأسود الفاحم المبعثر على وجهها. ناديتُ عليها بصوت خافت. لم تنتبه لخطواتي. كانت متمرّغة في غيبوبة المتعة. عمّي محمود كان يُعرّيها من ملابسها بتلذّذ. رمى بكتلة ملابسها على الأرض، وأخذ يلعق جسدها العاري بلسانه، مثل قطعة حلوى لذيذة سرقها في غفلة عن صاحبها! ضوء الأباجورة الخافت ألقى نوره على عاجيّة جلدها المتعرّق. كانت صفحة وجهها مُشعّة من فرط النشوة كقطعة من البلّور الأبيض. تتدحرج من بين يديه بمكر أنثوي جذّاب، وتتلوّى كأفعى تتطلّع

إلى الانقضاض على فريستها في عتمة الليل. آهاتها المثيرة بدّدت الصمت المطبق على الغرفة. أزيز مكيّف الغرفة كان عالياً، وصقيع هوائه يملأ فراغ الحجرة. وقفتُ أتابع المشهد وأنا متسمّرة في مكاني. لا أعرف إن كانت مرّت ثوانٍ خاطفة أم دقائق طويلة! ارتخت عضلات ظهر عمّي محمود. رمى ثقله بجوار أمّي. أخذ يقبّلها قبلات سريعة، ويُمرّر أصابعه بين شعرها، كأنّه يعزف بخصلاته مقطوعة موسيقيّة. لمح فجأة ظلّي. وصلتني شهقته. شعرتُ بدقّاتِ قلبه تتناهى إلى سمعي. دثّر جسد أمّي تحت اللحاف لأعلى كتفيها. ارتدى ثوبه على عجل. اتّجه نحوي. أخذني من يدي. أرجعني إلى غرفتي وأرقدني في فراشي وأسدل عليَّ الغطاء. كان وجهه ممتقعاً، ونظراته يشعُّ منها الجزع. قبّل جبهتي، وخرج مسرعاً يتعثّر في خطاه.

لم يستوعب عقلي الصغير كليّاً ما جرى تلك الليلة، لكن كان هناك نداء في داخلي يرفض بشدّة ما رأيته نصب عينيّ. مع توالي الأيّام وتبخّر براءتنا تنقشع الكثير من الخبايا أمامنا، ويطفو على السطح ما كان مُلقى في أعماقنا! صرتُ كلّما نظرتُ إلى وجه أمّي تخيّلتُ آثار شفتيْ عمّي محمود مطبوعة على ثغرها. تصوّرتُ بصمات أصابعه مغروسة في كلّ طبقات جلدها الغضّ. تتسرّب إلى خياشيمي رائحة الشهوة المحرّمة التي كانت تملأ فضاء مخدعها تلك الليلة. تُرى، هل قانون الأبوّة والأمومة يُجبرنا على أن نغفر لآبائنا وأمّهاتنا زلّاتهم الإنسانيّة؟ حرت في إيجاد إجابة تُطفئ جمرات حيرتي. جميعنا اعتدنا أن ننظر إلى آبائنا وأمّهاتنا كقدّيسين يجب عليهم ألّا يسقطوا في بئر الرذيلة. تورّطهم يحمل معنى واحداً، بأن لا غفران ولا تسامح منّا مهما طال الزمن، بل وجوب تطبيق أقسى العقوبة عليهم. نحن فقط من يحقّ لنا المرافعة وإصدار الأحكام عليهم بدون الإنصات لتبريرات المتهم وأقوال الشهود.

عندما زادت قليلاً أرقام عمري، بدأت أفطن إلى بعض الأمور. اكتشفتُ أنّ أمّي تتمتّع بملامح طيبة يُلاحظها كلّ من يقترب منها. مع هذا لم تعد تُغريني طيبتها. صرتُ أهرب من حضنها. أشمّ فيها رائحة عمّي محمود الذي غابت ملامحه، لكن ظلّت نظرة الرعب التي لمحتها في محجريْ عينيه لحظة رآني ليلة خطيئته، حاضرة في ذهني!

تمنيّتُ سنوات لا أعرف عددها، أن أضع أمّي على منصّة الاعتراف وأحاصرها بأسئلة لطالما حيّرتني... هل كنتِ تُحبّين عمّي محمود؟ ماذا عن أبي؟ لماذا لم تكوني زوجة مخلصة له؟ لمَ قابلت حُبّه وعطاءه بغدر الخيانة؟ هل كان عمّي محمود يملك ما لا يملكه أبي من مؤهّلات الفحولة؟ كنتُ أحاصرها بكلّ هذه التساؤلات بنظراتي الحائرة، فأجدها تُشيح بوجهها المتكسّر حزناً عنّي، وألمح طبقة من الدموع تعوم في عينيها، قبل أن تنزوي صامتة في غرفتها، ويصلني صوت بكائها الذي سرعان ما يتحوّل إلى نحيب يفطر القلوب.

4

كم هي جميلة أمّي. أصاب جدّي حين اختار لها اسم جميلة، فقد كانت بالفعل اسماً على مسمّى. في نظراتها العميقة يكمن جمال أخّاذ، يحتار المرء في معرفة منبعه. لم أرث عنها فتنتها الطاغية، لكنّني بالتأكيد ورثتُ عنها أشياء أخرى! بعد عودة أبي من الرياض بأيّام قليلة من تلك الليلة المشؤومة، استيقظتُ فزعة على صراخ أمّي. هرعتُ صوب حجرتها. وقفتُ متسمّرة عند الباب. شعرت بالهلع يهزُّ كياني. كانت أمّي تقف على أطراف أصابعها عند نافذة غرفة نومها محاولة تسلّقها. أبي يُحاول إبعادها عنها والفزع مرسوم على صفحة وجهه. هذا يعني أنّ أمّي إذا سقطت فستموت في الحال. وقفتُ من بعيد أراقب المشهد وفرائصي ترتعد رعباً. نجح أبي في إبعادها عن النافذة. وضعها في فراشها وبدأ يتلو آيات من القرآن الكريم ويمسح على رأسها إلى أن راحت في النوم. بعد هذه الواقعة اعتكفت أمّي في مخدعها. صار أبي يصحبها كلّ أسبوع لزيارة طبيبها النفسي والخضوع لجلسات كهربائيّة عدّة. تعود شبه مخدّرة وترتمي على سريرها. تنظر إليّ بعينين فارغتين كأنّها لا تعرفني. تتحدّث مع أبي عن ذكريات طفولتها البعيدة. تحكي له عن زوجة أبيها وابنتها إقبال. تقصُّ عليه

المقالب التي كانت تعدّها لها كي تُقصيها بعيداً عن خصوصيّاتها. كان أبي قد سمع منها هذه الحكايات عشرات المرات لكنّه كان يُصغي لها في كلّ مرّة باهتمام. بدأت أمّي تعود إلى طبيعتها بعد مرور شهرين على هذه الواقعة. ذات يوم، عدتُ من المدرسة لأجدها جالسة في غرفة الجلوس، تترنّم بأغنية فيروز «أنا لحبيبي وحبيبي إِلي...». كانت ابتسامتها الساحرة تُشرق على محيّاها، وقد عقصت شعرها الجميل في شكل كعكة كبيرة، وارتـدت ثوباً من الجرسيه الأبيض عكس حلاوة روحها وأظهر تفاصيل جسدها المتناسق. ما إن رأتني حتّى مدّت لي ذراعيها، فاندفعتُ إلى حضنها بشوق. ضمّتني بحنان وأخذت تُلاعب ضفيرتيْ شعري. أنفاس أمّي عطرة. حتّى جلدها له رائحة متميّزة. أكثر ما أفتقده عندما تسقط في دائرة اللاوعي، نبرة صوتها وهي تغنّي، وحضنها الدافئ. لاشعوريّاً، صرتُ كلّما دلفتُ إلى غرفتها أُحدّق في نافذتها. كان أبي قد أحضر نجّاراً لإغلاق نافذة غرفة نومها بالمسامير، خوفاً من أن تعود أمّي إلى فعلتها. أحياناً يُسيطر عليّ خاطر خبيث. ماذا كان سيحدث لو لم يلحق بها أبي؟ لماذا لم يدعها تموت؟ أخجل من خواطري الشيطانيّة، أرجمها بحصوات من ضميري ومن نبع حبّي الصافي لأمّي. تُرى هل كنتُ في قرارة نفسي أكره أمّي؟ يُقال إنّ الحبّ ليس صنيعة أيدينا وكذلك مشاعر الكره، الاثنان نحن منهما براء، ولا حيلة لنا في وجودهما أو عدمهما! لكنّ ما كان يشغل بالي، هو كيف يمكننا تمييز هذه الشعرة الدقيقة تجاه أقرب الناس إلينا؟ كانت هذه المشاعر المتقلّبة تقضّ نومي من حين إلى آخر، فأدسّها بحشوة مخدّتي وأخلد إلى النوم.

لم يعلم عمّي محمود بما جرى لأمّـي! تبخّر من ليلتها كأنّ الأرض انشقّت وابتلعته! أو كأنّه تحوّل إلى غمامة سوداء ضلّت طريقها ثمّ ابتعدت على استحياء باحثة عن فضاءات أخرى! لملم

عمّي محمود ذنبه المشين وانتقل للعيش في مدينة الرياض. تعجّب أبي من اختفائه المفاجئ! بعد انقطاعه أسابيع عدّة، هاتفه من مقرّ عمله، ليخبره بأنّه قرّر العيش هناك بعد أن جاءه عرض مُغرٍ للعمل في مستشفى الملك فيصل التخصّصي. اغتبطتُ لغيابه كأنّه غُمّة انزاحت عن قلبي. كنتُ قد جمعتُ هداياه كلّها ورميتها من نافذة المطبخ التي تطلُّ على منور البناية، ارتحتُ عندما سمعتُ دوّي حطامها. شعرتُ بسبب فعلته بأنّني قد هجرتُ طفولتي ونضجتُ قبل أواني!

***

كان قد مضى ما يقرب العام على تلك الحادثة التي أحدثت شرخاً بداخلي، حين ضربتني هزّة أرضية أقوى كادت تقضي عليَّ. كنتُ أتحضّر لتوديع أعوامي العشرة. مستغرقة في النوم، أحلم بالحفل الذي جهّزه لي أبي، وأتخيّل حجم الهدايا التي سأتلقّاها يوم عيدي. كان يرقد بجانبي الدبّ الكبير بفروه الكثيف، الذي أشتراه لي احتفاءً بعيد ميلادي. تسلّلت ليلتها أمّي إلى غرفتي في غفلة من أبي. اقتربت منّي وأخذت تتأمّلني. كلّ الذي استوعبته لحظتها، يداها وهما تُطبقان على رقبتي بكلّ قوّتهما. اصطدمتُ بوجه أمّي ونظراتها الغارقة في لُجج الجنون. حاولت دفعها بذراعيَّ الضئيلتين فلم أفلح. شعرتُ بروحي تنساب تدريجاً من جسدي، والأشياء تغيب من حولي. حاولت مربّيتي دفع أمّي عنّي، وأخذت تصرخ بأعلى صوتها منادية أبي الذي أتى مسرعاً على هذه الجلبة، يتخبّط في مشيته. خلّصني من قبضة أمّي وضمّني إلى صدره وصوت لهاثه يصبُّ في سمعي... أخذ يُهدّئ من روعي ويمسح على شعري. انزوت أمّي في زاوية من الغرفة ودخلت في نوبة من البكاء المتواصل. تشبّثتُ برقبة أبي، وتوسّلتُ إليه وأنا أبكي: «بابا، لا تسيبني لوحدي مع ماما. أنا ما أحبّها. يا ريت الله

ياخدها عنده في السما». سمعت دقّات قلب أبي تئنّ وجعاً. لم أعرف ماذا حلَّ بأمّي بعد تلك الليلة. اختفت ثلاثة أشهر. فهمت بعد هذه الواقعة بسنوات، أنّ أبي اضطرّ إلى إيداعها في مستشفى عرفان لتظلّ تحت إشراف طبيبها النفسي، وكي تخضع لعلاج مكثّف من الجلسات الكهربائيّة.

تعرّفتُ تلك الليلة إلى ملك الموت. اكتشفت أنّ له أشكالاً وصوراً كثيرة، لكنّنا جميعاً نجهل توقيت قدومه ومن أيّ الدروب سيأتي! لا أنكر أنّني أحياناً، وعلى فترات متباعدة، كنتُ أتجاهل ارتياعي وأرتمي في أحضان أمّي، لكنّها ظلّت لحظات نادرة، مثل وميض البرق الذي نلمحه في ليالي الصيف الحارّة.

كيف يمكن طفلةً أن تتحمّل كلّ هذه الصور المفجعة؟ عدتُ يوماً من المدرسة لأجد حجرة أمّي مضاءة. لمحتها من بعيد. كانت قد خسرت الكثير من وزنها، وبدا وجهها شاحباً كأنّها على وشك مغادرة الدنيا. تسمّرت قدماي لوهلة قصيرة ثمّ هرعتُ إلى غرفتي وأقفلتُ بابها بالمفتاح. سمعتُ دقّات خفيفة على الباب. كانت أمّي تستعطفني بنبرة حانية: «افتحي يا حبيبتي. افتحي يا وجدان. أنا ماما. وحشتيني». دسستُ جسدي تحت الفراش، وأنا أرتعد خوفاً. أخذتُ أقرأ المعوّذتين اللتين علّمتنا إيّاهما معلّمة الدين في المدرسة، داعية الله أن يطرد الشيطان الذي يلبس بدن أمّي. كنتُ واثقة بأنّ حلاوة أمّي وحُسنها، هما اللذان جعلاها مطمعاً لشيطان كافر حفّزها على خنقي تلك الليلة. حمدتُ الله أنّني لم أرث جمالها!

5

قرّر أبي أن نؤدّي العمرة شكراً لله على عودة أمّي سالمة إلى البيت. اصطحبني إلى سوق جدّة الدولي حيث قصدنا أحد المحالّ المتخصّصة في بيع الجلاليب. اشترى لي رداءً فضفاضاً أبيض مع وشاح من نفس اللون لأضعه على رأسي عند دخولنا الكعبة، وساعدتني مربّيتي على ارتدائه. أوصى خادمتنا الإندونيسيّة ساتي أن تنتبه لأمّي خلال غيابنا. طوال الطريق كان يُحاول تهوين الأمر عليَّ وتطييب خاطري، مقسماً بأغلظ الأيمان أنّ أمّي تحبّني أكثر من أيّ مخلوق في الدنيا، وأنّها لم تتعمّد إيذائي. ظللتُ أستمع صامتة لتبريراته. كانت مئات الأسئلة تعبث داخل رأسي. لم أسعَ لسكب واحد منها في حجره. كنتُ موقنة رغم صغر سنّي بأنّ حبّ أبي لأمّي سيجعله يغفر لها خطاياها وإن كانت بحجم مياه المحيطات. لا أدري من أين أتى أبي بذلك الكمّ من الحبّ العارم الذي لم ينضب معينه يوماً؟ هل كان محتوماً عليَّ أن أحبّها بمقدار حبّ أبي لها؟ كيف استطاعت أمّي أن تأسر قلبه؟! تُرى هل الحبّ قدر كما يقولون، أم هناك نوعيّة من البشر يُشرّعون نوافذهم عمداً رغبةً في تذوّق الحب مهما كان نوعه وطعمه؟ أوقف أبي السيارة في أحد المواقف القريبة من الحرم. قبض بقوّة على

يدي واتّجهنا مباشرة نحو المسجد. كانت ساحة الحرم شبه خاوية بعد أداء المصلّين صلاة العشاء وخروج معظمهم من المسجد. لم يبقَ سوى بعض المعتمرين من مختلف الجنسيّات يفترشون أرجاءه. عدد منهم كان يغطُّ في نوم عميق. ومنهم من كان ممسكاً بالمصحف ومستغرقاً في قراءة سوره. قادني نحو ساحة الطواف وسرنا باتّجاه الكعبة. رفعني بين ذراعيه وطلب منّي تقبيل الحجر الأسود. أوقفني عند ركن الملتزم قائلاً بصوت خافت: «وجدان، صلّي هنا، وادعي الله أن يشفي أمّكِ ويحفظها لنا. الله لا يردّ الدعوة في بيته». صلّيتُ ركعتين ولكنّني لم أدعُ لأمّي، بل دعوتُ عليها. همستُ: «خلّصني يا ربّي من أمّي. أنا ما صرت أحبّها. كانت تبغى تموّتني. أنا لسّه صغيرة وأبغى أعيش». ربّت أبي ظهري وسألني بعينين دامعتين: «وجدان، هل دعوتِ لأمّك بقلب صافٍ؟». تحاشيتُ النظر في عينيه وأومأت بالإيجاب. كان جرح قلبي أكبر من أن أداويه بمفردي! ليلتها عدتُ إلى غرفتي وبكيت كثيراً. سألتني مربّيتي عن سبب بكائي! قلت لها: «لقد كذبت على أبي في بيت الله وعند الكعبة. خائفة أن يُعاقبني ربّي ويُدخلني النار». هدّأت من روعي، وهوّنت عليَّ الأمر قائلة: «ما في خوف حبيبتي، النار ما فيها أولاد صغار، بس كُبار». أغمضت عينيَّ ونمت باسمة.

ظلّت الحيرة تُداهمني كلّما وقعت أمّي أسيرة مرضها. أسألُ الله بحرقة: «لماذا اصطفيتني من دون فتيات الأرض لتكون هذه المرأة أمّي؟ لماذا كتبت في لوحة قدري، أن أعيش حياة متزعزعة الأركان؟». ثمّ أعود فأفكّر في أبي، هذا الرجل الذي لم يكلّ ولم يملّ يوماً من رعايتها. لم أره يوماً متأفّفاً! أفنى حياته من أجلها. أستحضر صورته. تعوّد كلّما قفل عائداً إلى البيت أن يهرع نحوها وبيده عقد من الفلّ، تأخذه من يده وتُعلّقه حول رقبتها. يلثم شفتيها، يُداعب

شعرها، ويقول لها باسماً: «اشتقتُ إليك». تبتسم له بدلال وتدفن صفحة وجهها في صدره. عندما أتهيّأ للذهاب صبيحة اليوم التالي إلى مدرستي، ألمح العقد موضوعاً على الطاولة وقد فاحت رائحة الفلّ في أرجاء المكان.

6

في عامي الثاني عشر حاولت أمّي الانتحار مجدّداً، بقطع شرايين يدها هذه المرّة. كانت قد تلقّت صدمة مروّعة بوفاة جدّي المفاجئة. صحا أبي من نومه قرب الفجر، فأحسَّ بشيء دافئ يتسرّب إلى منامته ويُبلّل فراشه. التفت صوب أمّي، فألفاها غارقة في دمائها. حملها بسيّارته إلى المستشفى حيث أدخلها الطبيب على الفور غرفة العمليات. كانت قد فقدت دماً كثيراً. لم يستطع أبي إخفاء الأمر وقتها عن أمّي، فقد كان جدّي مُعتاداً زيارتها يوماً بعد يوم، وانقطاعه عنها كان بلا شكّ سيُحرّك شكوكها! اختفاء جدّي عن حياتي قصم ظهري. غيابه أشعرني بوحدة قاتلة. حنانه كان يُعوّضني عن غياب أمّي وانشغالات أبي بمرضها. ظلّت هيئة جدّي تحضرني أيّامها كثيراً في أحلامي. أستيقظ في ساعة متأخرة من الليل، متخيّلة صوته، ضحكاته، أحسُّ بأنفاسه تحوم حولي، وبشفتيه تلثمان جبيني، فأضمُّ وسادتي وأغرق في البكاء كمداً على فراقه.

بعد تحسّن صحّة أمّي النفسيّة سأل أبي الطبيب إن كان بإمكانها السفر! رحّب الطبيب بالاقتراح مؤكداً أنّ ذلك سيساعد على اعتدال مزاجها. كنّا في منتصف شهر إبريل والشتاء يُلملم ما بقي

من حوائجه ليرحل. حجز لنا أبي بيتاً في إحدى قرى الريف الفرنسي. اختار قرية Connelles.

تبعد القرية عن باريس ساعة بالسيارة. حطّت الطائرة في مطار شارل ديغول الساعة السادسة صباحاً. كان الطقس بارداً. أحكم أبي معطفه الشتوي الأسود على جسده، وطلب من أمّي أن ترتدي معطفها السميك وتُلبسني معطفي الوردي الذي ما زلتُ أحتفظ به حتّى اليوم في خزانة ملابسي. استأجر أبي سيّارة من المطار وقادها بنفسه. جلست أمّي بجانبه وأجلسني في المقعد الخلفي. الطريق إلى القرية لم يكن مُزدحماً، لكنّه كان يعجُّ بالضباب والرؤية فيه تقريباً شبه معدومة. بالكاد يُميّز السائقون السيارات المعاكسة لهم. ارتسم الهلع على وجه أمّي. كانت تُلقي بنظراتها صوب الأودية المنحدرة على جانبي الطريق بعينين جزعتين. ضمّت ياقتي معطفها إلى صدرها بيد مرتجفة، وغرست أنامل يدها الأخرى بذراع أبي. رماها بنظرة طمأنينة بأنّ كلّ شيء سيكون على ما يُرام. استسلمت أمّي للطقس البارد وغفت قليلاً عند اقترابنا من القرية. هزَّ أبي يدها قائلاً: «أخيراً وصلنا. ما رأيك بالمكان؟». تلفّتت أمّي حولها وقد طفت على وجهها تعابير الامتنان. المكان يغلب عليه الهدوء. من ناحية البيت الجنوبيّة كانت هناك حديقة جميلة أشجارها نصف عارية، وأوراقها الجافة تُغطّي الأرض. كانت الطبيعة لا تزال في حالة عراك مع فصل الشتاء لإرغامه على الرحيل طواعية قبل حلول نسائم الصيف. على الجانب الشمالي منه ربوة صغيرة يقف في وسطها مبنى قديم تعلوه ساعة قديمة. كانت عقاربها ميتة بالسكتة القلبية بعد أن دمّرها الزمن وأضحت تحفة فنيّة تشهد على ما تقترفه الأيّام بالناس وبالأشياء! البيت الذي استأجره أبي كان في قمّة الروعة. مكوّن من طابقين. في الطابق العلوي غرفتا نوم. تطلّ إحداهما على نهر السين

والأخرى على الحديقة العامة. وفي الطابق السفلي بهو كبير يُفضي إلى شرفة واسعة مفتوحة، يُحيط بها سور خشبي يطلّ على النهر. المطبخ له باب خلفي يؤدّي أيضاً إلى الحديقة. المنزل مُحاط بسور مُغطّى بالنباتات الصغيرة، والممرّ المؤدّي إلى البيت أرضيّته مغطاة بالطوب الصخري ويتخلّله العشب الأخضر.

ما زالت هذه الرحلة عالقة بذاكرتي رغم مرور كلّ تلك السنوات. رائحة الأوراق المتيبّسة المصفرّة. ضوء الصُبح وهو يُداعب صفحة وجهي. تغريدات العصافير الواقفة عند نافذة غرفتي. كلّها أشعرتني أيّامها بأنّ حياتي وإن كانت ملبّدة بالغيوم، فإنّ هناك ثقباً تتسرّب منه أشعّة الشمس لتنير جنبات قلبي الصغير الذي دهكته الأحزان. أستعيد مشاعر الخوف التي كانت تنتابني في الليل. كيف كنتُ أحياناً أفيق من نومي مذعورة. أفتح ستارة نافذتي التي كانت تطلّ على الحديقة، فتتراءى لي الأشجار العالية كأنّها رؤوس جان خرجت من أعماق الأرض مستغلّة استغراق الناس في النوم، لتلهو فوق سطحها وتُمارس مجونها. عندما يطلّ النهار برأسه وأستيقظ على الجلبة التي يحدثها وقع أقدامه، تُعاودني البهجة وأنسى ما اقترفته ظلمة الليل بحقّي. ألتهم فطوري في الشرفة المفتوحة مع أبي وأمّي، وأركب بعدها الدرّاجة التي استأجرها لي أبي، وأجوب بها أرجاء المكان. أحياناً كان المطر يُفاجئني ويُبلّل ملابسي فأهرع عائدة إلى البيت.

مكثنا هناك شهراً. كان أبي يصطحبنا أسبوعيّاً بالسيّارة إلى وسط القرية. يشتري مؤونة الأسبوع من أحد متاجرها الصغيرة ونجول في طرقاتها الضيّقة ونعود قبل حلول الظلام. كانت أمّي خلال تلك الفترة قد استرجعت توازنها وصحّتها وازداد وزنها وأشرقت صفحة وجهها. كانت أيّامها تهوى الجلوس على المقعد الحديدي المواجه للنهر، وهي متلحّفة بوشاحها الكشميري المتداخل الألوان الذي

اشتراه لها أبي في عيد زواجهما الأخير. تتسلّى بقذف فتات الخبز للإوزّ العائم في النهر، ونشوة الفرح تشعُّ من بؤبؤي عينيها. عندما تلمحني سائرة بالقرب منها تُناديني. تدسُّ في يدي فتات الخبز، وتُشجّعني بابتسامتها الخلّابة على إلقائها أيضاً، وتُراقبني بعينين تطفحان بالحبّ.

ذكرياتنا الجميلة تنفع في تبديد سواد الأيّام، فعندما يفور بركان القنوط بأعماقنا، تنعمي بصائرنا ونصبّ جام غضبنا على أقدارنا لكونها المسؤولة الأولى عمّا آلت إليه أحوالنا، تمرّ بأذهاننا المشاهد الحلوة التي عشناها في حقبة من حياتنا، فنغفر للأقدار جريرتها بحقّنا. في تلك الفترة الجميلة من عمري، كان لعامل المكان دور في أن أعقد صلحاً داخليّاً مع أمّي. أيقنت بأنّني أحبُّها حبّاً كبيراً. لا شيء، مهما بلغت قوته، سيعوق استمراره. كنتُ أراقب أبي وهو يصطحبها للنزهة وتعابير وجهه تفيض حناناً وطمأنينة، وكانت تتعلّق بذراعه وتميل برأسها على كتفه، فيبدوان كعاشقين التقيا صدفة في حديقة مترامية الأطراف، لا يأبهان بأقدام غريبة تتعقبهما أو بنظرات فضوليّة تتساءل عن سرّ هذا الحبّ المتوهّج! لم أرَ أبي يوماً على هذا القدر من السعادة، كانت أريحيّة السرور ظاهرة عليه، كأنّه يستمدّ شعاعها من إشراقة وجه هذه المرأة. كنتُ موقنة بأنّ القدر قد عوّض أمّي عن جنونها بأن ألقى في طريقها رجلاً يحمل كلّ صفات النبل ليُخفّف من عذاباتها التي تورّطت فيها بدون نيّة مسبّقة منها. تُرى، هل أحظى عندما أكبر، برجل يُشاطرني مسرّاتي وأتراحي، ويزرع طريقي بالرياحين، ويقف وسط العراء منتظراً طلوع النهار ليأخذ بيدي دون أن يجفل من زوابع الشتاء القارس؟

أتذكّر أنّنا، في مرّة من المرّات ونحن نتمشّى، مررنا في طريقنا بالكنيسة الخاصة بسكّان القرية. كانت تقع بجانبها مقبرة صغيرة.

بدت نُصب المقابر مثل لوحات فنيّة بديعة مع أصص الزهور الزاهية الألوان المحيطة بكلّ قبر. دمعت عينا أمي وارتجفت شفتاها عندما وقع بصرها عليها، وقالت لأبي بنبرة جزعة: «خذني من هنا. رائحة الموت تملأ المكان». بعد عودتنا إلى البيت، سألت أبي بنبرة فضول: «هل للموت رائحة؟». تأمّل صفحة وجهي. ألقى بناظريه صوب النهر الذي تحوّل سطحه إلى اللون الأحمر مع رحيل آخر خيوط الشمس، وأطلق تنهيدة عميقة.

يظلّ جانبٌ من الماضي غافياً داخل أعماقنا إلى أن نفيق يوماً على هزّاته المفاجئة، فينغّص علينا حاضرنا ويُذكّرنا كم كنّا سفلة في مرحلة من مراحل حياتنا! قد يدفعنا التفكير في زلّاتنا إلى محاولة تغيير أنفسنا أو تطبيب أشخاص جرحناهم ذات يوم. أنّبت نفسي على مشاعر الكره التي حملتها لأمّي في تلك الفترة الجميلة من حياتي! كيف حقدتُ عليها؟ لماذا لم أستحِ حين دعوتُ الله ليالي كثيرة أن يأخذها، وأن أستيقظ ذات صباح على صوت مجهول يزفّ في أذني أنّ أمّك قد عادت إلى بارئها؟ لماذا لم أعبأ بكمّ الأحاديث النبويّة التي تعلّمتها في المدرسة بأنّ المجنون مرفوع عنه القلم، وبقيت سنوات لا أؤمن بهذا القانون الإلهي وأجده صُنع لكي يجعلنا نتقبّل عثرات الآخرين، حتّى آمنتُ بها في تلك الرحلة التي شهدت من جديد مولد حبّي لأمّي؟

جميلة

1

حياتي كلّها كوميديا سوداء. كنتُ في الثامنة من عمري حين رحلت أمّي. صورتها مبهمة التفاصيل في ذاكرتي، لا أعرفها إلّا لماماً ومن خلال صورتها الموضوعة في برواز ذهبي على المنضدة بجوار مخدعي. لم تبخل عليّ أمّي بشيء من جمالها الآسر. شعرها الغجري الأسود، عيناها الناعستان، البريق الأخّاذ الذي يطلُّ منهما، حتّى أنوثتها الطاغية سكبتها كلّها في شراييني. كانت قد أصابتها نوبة اكتئاب شديدة بعد ولادتها لأختي ندى، التي جاءت بعد سبع سنوات من الانتظار. أخذت شهيقاً طويلاً عند نسمات الفجر الأولى، وألقت بنفسها من النافذة لترتطم بالأرض وتغدو جثّة هامدة. لحقتها أختي بعدها بيومين نتيجة حُمّى شديدة أصابتها. حزن أبي عليهما حزناً كبيراً. أنّب نفسه كثيراً. رأى أنّ إهماله لأمّي تسبّب بموتها. كان عليه أن يأخذ كلام طبيبها بوجوب أخذ الحيطة وعدم تركها بمفردها، على محمل الجدّ. أغدق عليّ حبّه. وضع وصيّة أمّي نصب عينيه. كان قد جاءها ملك الموت متخفّياً في منامها قبل انتحارها بأيّام قليلة. حلمت برجل يرتدي زيّاً أسود ويضع عمامة على رأسه، ولثاماً على وجهه، يتسلّل حافي القدمين إلى حجرتها. كان ضخم الجثّة، بالغ الطول حتّى

كاد رأسه يُلامس سقف الغرفة. شرّع نافذة حجرتها عن آخرها واتّجه نحوها وحملها بين ذراعيه ورماها في الفضاء. أحسّت بأنّها تتخبّط وسط كتل السحب الداكنة قبل أن تتلقّف جسدها الأرض. أفاقت من نومها فزعة. تلفّتت صوب أبي وآثار النعاس ما زالت مطبوعة على وجهها، والعرق يتصبّب من مسامّ جلدها ويفوح من إبطيها، قائلة: «توفيق، أنا حاسّه إنّي قرّبت أموت. جميلة أمانة في رقبتك». اسمي لم يتناقض قطّ مع شكلي. كلّ من يراني لا بدّ من أن يُصلّي على النبي. أبي الوحيد الذي كان الفزع يحوم بعينيه كلّما غِبتُ عن ناظريه. كان يتهيّب في قرارة نفسه من مصير مجهول ينتظرني! طبيب أمّي كان قد أخبره بأنّ هناك احتمالاً كبيراً بأن أرث مرض أمّي. مرضها كان يُسمّى في المصطلحات الطبيّة، الاضطراب الوجداني الثنائي القطب، وأغلبية الأطبّاء يُطلقون عليه ذهان الهوس الاكتئابي، وهو يُحيل حياة صاحبه جحيماً بسبب تقلّبات مزاجه. لجأ أبي إلى الله حين أعيته الحيلة مثل أغلبيّة البشر. أصبح يُصلّي في الهزيع الأخير من كلّ ليلة، داعياً ربّه من كلّ قلبه أن يحفظني، وأن لا أُصاب بلوثة أمّي. أقسم بينه وبين نفسه أن لا يجلب لي زوجة أب، وأن لا تدخل امرأة حياته بعد رحيل أمّي المأساوي.

قرّر أبي بعد وفاة أمّي بأشهر قليلة الانتقال من شقتنا الكائنة في الطابق الرابع والواقعة في حيّ الرويس. أراد أن يطوي إلى الأبد صفحة الماضي، فكلّ زاوية في تلك الشقّة كانت تُذكّره بأمّي. يحسّ بطيفها يجوب أرجاء البيت كلّما خلد إلى فراشه ليلاً. كما كان يتحرّج من نظرات الفضول التي يرشقه بها سكّان العمارة، كلّما التقى بأحدهم عند مدخلها. وقع اختياره على بناية صغيرة مكوّنة من ثلاثة طوابق في حيّ العزيزيّة.

لم يستطع أبي الوفاء بالوعد الذي قطعه على نفسه. تزوّج بعد وفاة أمّي بسنة. شاغلته امرأة مطلّقة متوسّطة الجمال في منتصف عقدها الثالث. كانت تسكن في الشقّة المواجهة لنا مع أمّها العجوز. تتعمّد فتح باب بيتها كلّما سمعت وقع أقدام أبي وهو يتأهّب للخروج من البيت أو الدخول إليه. تُلقي عليه التحيّة بابتسامة مغرية متعمّدةً ترك شعر رأسها منساباً على كتفيها وقد حسرت وشاحها عنه. تُرسل له بين حين وآخر أطباقاً من الأطعمة الشهيّة، قائلة له: «هذا من صنع يدي لأجلك أنتَ وجميلة». بدأت غريزته الذكوريّة تلحُّ عليه عندما يندسُّ تحت فراشه، فينفرط وقاره ويستحضر هيئتها ويستمني عليها. في النهاية استغفر ربّه، وتصدّق عن نكثان وعده. توكّل على الله وتزوّجها.

منذ يومها الأول في بيتنا فضّلت زوجة أبي ترك مساحة من التحفّظ بيني وبينها، وتركت له حريّة رعاية شؤوني. عطف أبي عليّ واهتمامه الجارف بي كانا كفيلين بطرد أيّ مشاعر ضغينة رغبت في أن تتكوّن في قلبي تجاهها. لم ينجب أبي منها قطّ. بعد زواجهما بعام قاما بمحاولة واحدة، لكنّها فشلت إذ أُجهضت في شهورها الأولى. كنتُ محطّ اهتمام أبي، والنبع الصافي الذي يروي منه عطش أبوّته، لذا لم يلحّ عليها لتكرار التجربة. كانت هي الأخرى قد اكتفت بأولادها الثلاثة، صبيّين وبنت، الذين أنجبتهم من زوجها الأول. كانوا يعيشون مع والدهم ويأتون لزيارتها في عطل نهاية الأسبوع. لم يكن أبي يسمح بأن يبيت ولداها الذكران عندنا، فكانا يعودان عند المساء إلى مسكن أبيهما، بينما تُبقي ابنتها إقبال، وهي بنفس عمري، معنا، وأُضّطر لاستضافتها في غرفتي لضيق مساحة شقّتنا. كانت الأيّام التي تُجاورني فيها إقبال تمرُّ عليَّ ثقيلة. لم أكن أحبّ تلك الفتاة، كانت ترشقني بنظرات غلّ كأنّني أخذتُ مكانها، وسرقتُ أمّها من بين

أحضانها. بادلتها نفس المشاعر. كنتُ أغافلها وأحطّم ألعابها التي كانت تجلبها معها، فتسكب بحرقة دموعها، وتتركها تُغرق صدغيها، وتهرع إلى أمّها. أسمعها تهمس لها بأنّني من ارتكب هذه الفعلة بحاجياتها! تُطيّب والدتها خاطرها، واعدةً إيّاها بأن تشتري لها غيرها، قبل أن ترميني بنظرات غاضبة دون أن تُقرّعني.

سمعت إقبال تقول لها ذات مرّة: «أمّي، يقولون في المدرسة إنّ جميلة عندما تكبر ستُصبح مجنونة مثل أمّها. أرجوكِ يا أمّي لا تدعيني أنام معها في غرفتها». ازددتُ نفوراً منها. تماكرت أمّها على أبي مقترحةً عليه أن ينام في جواري أثناء زيارة ابنتها لبيتنا، وأن يدع ابنتها تنام معها في غرفتها. لم يعترض أبي. لم يُخامره شك في مغزى اقتراحها. تنفّستُ الصعداء، وسعدتُ بمقترحها في قرارة نفسي. كان يتمدّد بجانبي ويقصّ عليّ حكايات مسلّية عن بطولات عنترة بن شدّاد، وعن علي بابا والأربعين حرامي وعن سندريلا وأميرها الولهان وغيرها إلى أن أغطّ في النوم.

عندما دلفنا إلى بداية سنّ المراهقة، صرتُ أقفل على حاجياتي داخل خزانتي كلّما حان موعد زيارتها. ألاحظها تتحيّن الفرص لتتسلّل إلى غرفتي متمنّيةً أن يقع تحت يديها سرّ من أسراري كي تُجاهر به وتقتصّ منّي، فأسخر من خبثها في قرارة نفسي ولا أعبأ بتصرّفاتها!

لم يكن لديّ صديقات. كنتُ منطوية على ذاتي. اعتاد أبي بين حين وآخر اصطحابي إلى محالّ بيع الألعاب. يحثّني على شراء ما أريد. ألعب بلعبتي الجديدة عدّة مرّات ثم أسأم منها وأرميها في قعر خزانة ملابسي. تحسّنت أحوال أبي. اشترى فيلا صغيرة من طابق واحد في حيّ النهضة. ما إن تجاوزتُ الرابعة عشرة من عمري، حتّى أحاطتني نظرات الإعجاب من كلّ حدب وصوب. أشعر بالنشوة عندما ألمح نظرات أولاد الحيّ المتعطشة، وأنا أهمّ بالخروج من

البيت مع أبي وزوجته. كنتُ أتباهى بفتنتي، وبأنّ هناك من أداهمه في أحلامه. كانت زوجة أبي تشتكي له من كمّ المعاكسات التي تنهال على هاتف بيتنا. تُلمّح ضمناً لأبي بأنّني السبب في ذلك. لم يكن أبي يأبه بهذه المحاولات الصبيانيّة. كانت زوجة أبي في قرارة نفسها تتحسّر على ابنتها التي ورثت قباحة وجهها من أبيها، وظلّت إقبال إلى أن بلغت الخامسة والثلاثين بدون زواج. زوّجها أبوها بأرمل لديه طفلان تقدّم لها وقبلت عرضه فوراً خشية أن يفوتها قطار الزواج.

مضت بي الحياة أيّامها كأيّ فتاة بعمري. عندما أصبحتُ على أعتاب مرحلتي الثانوية، قرّر والدي نقلي إلى مدرسة دار التربية الحديثة التي كان صيتها قد لمع كمدرسة أهليّة بعد ثناء الأسر على معلّماتها الماهرات. تعرّفت في أول يوم لي في الصف إلى علويّة. كان لديها حسّ دعابة عالٍ، وينبثق من مقلتيها مكر ولؤم تغلّبت بهما على تواضع ملامحها، وجذبت زميلات الصفّ نحوها. لم أنتبه إلى أنّ سور بيتهم مُلاصق لسور بيتنا. لفت انتباهي أخوها حامد، شابّ في أوائل العشرينات، تعوّد اصطحاب أخته يومياً إلى المدرسة. لمحته ذات مرّة يُراقبني من فوق سطح بيتهم وأنا أتمشّى في حديقة منزلنا. تعرّف أبي صدفة إلى والد علويّة في مسجد الحيّ في واحدة من صلوات الجمعة. شعر أبي بالارتياح تجاهه، فسمح لي بالعودة من المدرسة مع علويّة في سيّارتهم. كنتُ ألاحظ حامد يُثبّت مرآة السيّارة على وجهي ناحية مقعدي في الخلف. في إحدى المرّات وأنا أتسكّع في الحديقة، رمى لي برسالة مطويّة. التقطتها على عجل وأخفيتها في جيب تنّورتي. دلفتُ إلى غرفتي وقرأتها بفضول. كان محتواها دافئاً. قال لي فيها: «ما أحلى اسمك يا جميلة الجميلات. أنا لا أعرف المراوغة ولا أُجيد التملّق، وأقسم لك بأنّني لم أعرف الحبّ الذي يقولون عنه إلّا حين رأيتك. فيك لغز آسر، لكن لا يهمّني فكّ طلاسمه! كلّ ما يعنيني

أن أحتفظ بك للأبد. قد يكون كلامي سابقاً لأوانه لكنّني أطمح أن أحظى بحبّك، وأن تقبلي بمشاركتي مشوار العمر». كتبتُ له ردّاً مقتضباً، وتعمّدتُ في اليوم التالي حشر رسالتي في مقعد السيارة في مكان جلوسي، وكان فيها: «أنت أيضاً لك مكانة كبيرة في قلبي، لكنّني ما زلتُ صغيرة على الارتباط والزواج». كان الوقت يقترب من الثامنة مساءً. تعمّدتُ النزول خلسة إلى الحديقة. لمحتُ حامد يتسلّق سور بيتنا ويقفز إلى حديقتنا. اقترب منّي وأمسك بيدي ولثم كفّي. أحسستُ بأنفاسه الحارّة تلسع جلدي. قال لي بأنفاس متهدّجة: «أريد أن أخطبك فقط. خائف أن يسبقني أحد إليك ليحظى بهذا الجمال. أرجوك قولي إنّك موافقة». ابتسمتُ وأومأتُ له برأسي. صارح والدته برغبته في الارتباط بي، فبكت قائلة: «كيف ترتبط بفتاة يقولون إنّ أمّها ماتت منتحرة؟ ألا تخشى أن ترث البنت جنونها؟». أجابها: «أحبّها ولا أريد فتاة غيرها. أمّي أنتِ إنسانة مؤمنة، والله يقول في قرآنه... لا تزر وازرةٌ وزر أخرى».

وقفت علويّة في صفّ أمّها، مكرّرة نفس كلامها. أصرّ حامد على موقفه، وتعهّد أمام الله وأمامي بأن يكون زوجاً وفيّاً مخلصاً. صمتت أمّه وأعلنت موافقتها على مضض. تقدّم لخطبتي. وافق أبي شريطة أن أنهي مرحلتي الثانويّة. تغيّرت معاملة علويّة لي بعد إعلان خطوبتي لأخيها. صارت تُعاملني بجفاء وتتجاهلني في الصفّ وفي فترة الفسحة كأنّني فتاة غريبة عنها! أصبحتُ زوجة في نهاية عامي السابع عشر. فعل حامد الكثير لإسعادي. كنتُ أتباهى بين أهلي وأقاربي بحبّه، وبأنّه لا يُوجد رجل على ظهر الأرض عاشق لامرأة كعشق زوجي لي. حملتُ بابنتي وجدان. كانت النور الذي أضاء كافّة زوايا حياتي. لم أكن أظنّ أنّ مجيئها سيُشكّل علامة فارقة في حياتي.

2

بعد ولادتي لابنتي وجدان بدأت تُصيبني حالات من الاكتئاب لا أعرف سببها. أستيقظ مبكرة على غير عادتي، وأنخرط في بكاءٍ لا أعرف له سبباً! وفي اليوم التالي يتبدّل مزاجي، وأشعر بطاقة زائدة في داخلي، فأتنقّل في أرجاء البيت كالفراشة، وتُسيطر الرغبة الجنسية عليَّ فتصل إلى حدّ الشبق المسعور. أتذكّر جيداً تلك الليلة. كانت بداية جنوني. نهضتُ مذعورة على كابوس ينهش عقلي. لمحتُ خطوطاً هلاميّة تتراقص أمامي في فراغ الغرفة. صوت زوجي يُناديني كأنّه يأتيني من بعيد متداخلاً مع أصوات لا أعرف مصدرها. أطياف تروح وتجيء في أنحاء الغرفة أمامي. صرتُ أصرخ. أتوسّل لزوجي أن يبعد هذه الوجوه المطموسة المعالم عنّي. حاول تهدئتي. وضع يده على رأسي، وأخذ يقرأ آيات من القرآن الكريم. ظلّ بجانبي إلى أن تسرّب ضوء الصباح من ستارة النافذة. هاتف عندها أبي طالباً منه الحضور على عجل. دخل أبي بسحنة كالحة، تُحيط بعينيه هالة من السواد، كأنّه كان يترقّب هذه اللحظة الفاصلة في تاريخ عمري!

دار بين أبي وزوجي حديث خافت. عاد زوجي إلى الغرفة وقد خنقته العبرات. طلب من الخادمة مساعدتي على ارتداء ملابسي.

سألته: «إلى أين ستأخذني؟» أجال فيّ نظره، قائلاً بنبرة حزينة: «سنذهب إلى المستشفى. أريد أن أطمئنّ عليكِ». شعرتُ بضيق في صدري. كانت المرّة الأولى التي أدخل فيها عيادة طبيب نفسي. أوّل سؤال طرحه على زوجي كان: «أخبرني عن تاريخ أسرتها الصحّي، فهناك أمراض كثيرة تتعلّق بالجانب الوراثي». تحرّج زوجي من سؤال الطبيب بحضوري. لاحظ الطبيب اضطرابه، وقال: «على المريض أن يعرف حالته بالتفصيل». رصّ له زوجي بالتفصيل كلّ ما يعرفه عن تاريخ أسرتي، وعن معاناة أمّي تحديداً مع المرض ونهايتها المأساويّة. منذ أمد بعيد لم أستحضر صورة أمّي في مخيّلتي، كأنّ عقلي الباطن كان يرفض تقبّل فكرة وجودها. سألته بنبرة قلقة: «هل ستكون نهايتي كأمّي؟». هدّأ من روعي: «الطبّ تقدّم، وبإمكانك الشفاء من مرضك إذا واظبتِ على أخذ الدواء، وعلى الجلسات النفسيّة، والأهمّ من كلّ هذا قدرتك على التعايش مع مرضك ومواجهته بشجاعة».

طلب الطبيب من زوجي إحضاري إليه مرّتين أسبوعيّاً إلى أن تستقرّ حالتي. وصف لي أدوية مضادّة للاكتئاب والهوس. تمنيّتُ لو ظلّت صورة أمّي مرميّة داخل صندوق ذكرياتي وأن يبقى موصداً بقفل متين للأبد، لكن ظلّ هاجس الخوف يُلازمني. صبيحة كلّ يوم أقف أمام مرآتي وأسأل نفسي... هل سألقى يوماً مصير أمّي؟ هل سأحرّر بيدي نهاية حياتي؟ كانت الأدوية التي أتعاطاها تُصيبني بالغثيان، أدّت إلى زيادة وزني، وجعلتني غير قادرة على القيام بواجباتي الأسريّة ورعاية ابنتي وجدان. أفقدتني أيضاً شهيّتي لممارسة الجنس. بتُّ أضيق بأنفاس زوجي كلّما حاول الاقتراب منّي، وأشعر باختناق في صدري إذا ضمّني إليه. غدوتُ أميل للعزلة، وأتحاشى رؤية أيّ أحد! تعوّد زوجي كلّما سافر في رحلة عمل أن يُوصي أبي برعايتي أثناء فترة غيابه، وهو ما جعلني أحسُّ بأنّني غدوتُ عبئاً على

من حولي. صرتُ أكره حياتي وأتمنّى الموت. أعلنتُ لزوجي رغبتي في إنجاب طفل آخر. تبدّلت سحنته، لكنّه سرعان ما استعاد رباطة جأشه، محاولاً إقناعي بأنّ وجدان قطعة من قلبه، وأنّها لم تزل صغيرة على إحضار أخ أو أخت لها. وعدني بنبرة واثقة بأن نُفكّر معاً في الموضوع بعد انتهاء فترة علاجي. لم أكن أعلم بأنّ الطبيب قد حذّره من مغبّة حملي ثانية، موضحاً له أنّ الحبوب التي أتعاطاها ستؤثّر سلباً على صحّة الجنين القادم، وأنّ جينات جنوني ستنتقل حتماً إلى أبنائي. دخلت الكتب النفسيّة أول مرّة إلى بيتنا. خصّص لها زوجي رفّاً في مكتبه. تعرّفتُ من خلال الأسماء المدوّنة على أغلفتها إلى أشهر الأطبّاء النفسيين المصريين كالدكتور أحمد عكاشة، والدكتور عادل صادق، كما تعرّفت من خلال الكتب النفسيّة المترجمة، التي تتحدّث مضامينها بإسهاب عن الأمراض العقلية الوراثيّة، إلى أهمّ الأطبّاء النفسيين في العالم. كنتُ أراه قبل النوم يُمسك بأحدها وينغمس فيه. أختلس النظر إليه وهو منهمك في القراءة. أحياناً ألمح عضلات وجهه تتقلّص ويكاد بؤبؤا عينيه يخرجان من محجريهما. أحياناً أخرى ترتسم على وجهه تعابير الارتياح. لم أحاول سؤاله يوماً عن محتوى ما يقرأه. لم أفكّر ولو للحظة في الاقتراب من أيٍّ منها. كان يتملّكني هاجس بأنّني سأعرف في بواطن هذه الكتب ما أتحاشى معرفته وما قد يُفاقم من معاناتي، فأنزلق داخل بركان ما زالت أعماقه تقذف لهباً قاتلاً!

3

متى التقيتُ بمحمود؟ كنّا قد احتفلنا للتوّ بعيد ميلاد ابنتنا وجدان. دلفت حينها إلى أعوامها التسعة. جاء زوجي إلى البيت وقت الغداء بصحبته. قدّمه لي باسماً: «د. محمود ابن عمّي. عاد للتوّ من أمريكا بعد أن مكث فيها أكثر من عشرة أعوام. سيُصبح قريباً أشهر طبيب متخصّص في جراحة القلب في السعوديّة». لم يكفّ زوجي عن التحدّث عنه طوال فترة جلوسنا حول مائدة الطعام. قال بفرح: «محمود، صديق الطفولة. كان أشقى طفل في عائلتنا. لم أزل أتذكّر مقالبه! في مرّة وضع داخل قميصي المدرسي بودرة العفاريت، وجعل كلّ التلاميذ في الفصل يضحكون عليّ وأنا أحكُّ جلدي حتّى أدميته. ومرّة ثانية أغلق باب الحمام عليّ من الخارج في بيتنا، وقبعت محبوساً هناك إلى أن عادت والدتي من مشوارها وفتحت لي. أنّبته على فعلته وأبلغت عمّي بما جرى منه، فنال ضربة ساخنة جرّاء شقاوته». لاحظتُ دون قصد منّي أنّ عينيْ محمود حالمتان، كمن يتأهّب لدخول قصّة حبّ ملتهبة مع امرأة مثيرة لم يلتقِ بها بعد. شفتاه تفتران عن أسنان متّسقة وأضراس ناصعة البياض كلّما استغرق في الضحك. ملامحه تفوح منها رجولة غامضة ممزوجة بفحولة تُغري أيّ امرأة بأن تُعرّي

أنوثتها أمامه. لم تغرِني وسامته، ولم أفكّر ولو لهنيهة في خيانة زوجي معه! الخيانة لا مكان لها في قاموسي الزوجي. اعتاد زوجي السفر في رحلات متقطعة داخل السعودية بحكم وظيفته الإداريّة. كان من فرط ثقته بمحمود يطلب منه أن يمرّ علينا أثناء فترات غيابه القصيرة. زالت الكلفة بيني وبين محمود. أستمتعُ بحكاياته التي كان يقصّها عن حياته في الغربة. حبّه الجارف لمدينة بوسطن التي عاش ودرس فيها، وكيف وقع في غرامها منذ اللحظة الأولى التي وطئتها قدماه. يرى أنّ مبانيها الأثريّة تشبه إلى حدّ كبير مدينة لندن التي عشقها منذ صغره. كان يحكي أيضاً عن تجاربه النسائيّة هناك. سألته مرّة ببراءة: «كم مرّة أحببت؟ وهل الحبّ مثل الكأس الملأى ينتهي من حياتنا مع دلق آخر قطرة فيها بجوفنا؟». سرح في سؤالي وأجابني بصراحته المعهودة: «لا تُوجد علاقة بين اثنين تنقطع عراها إلّا إذا اقتنع الطرفان بصعوبة استمرارها، وبأنّه أضحى مستحيلاً تجنّب لوعة الهجران! الحبّ في أغلب الأحيان لا تخلو خواتمه من الدهشة الممزوجة بالألم حين يُعطي كلّ طرف ظهره للآخر، لكن تظلُّ هناك علامة استفهام محفورة في أعماق الطرفين.. لماذا ولّى الحب غير مأسوفٍ عليه؟».

تكالبت عليّ آلام معدتي، وتفاقمت أوجاع أطرافي. وبدأتُ أتأفّف من زيادة وزني. أصابني القرف من أدويتي التي عكّرت صفو حياتي، فقرّرت التوقّف عن أخذها. أخفيتُ الأمر عن زوجي. كان قد مرّ أسبوعان على هجري لأدويتي. صبيحة ذلك اليوم المشؤوم، كان زوجي قد غادر البيت مبكراً للالتحاق بطائرته المتّجهة إلى الرياض، لحضور اجتماعاته الاعتياديّة. قبّلني قبلات سريعة، ووعدني بأن يعود ليلتها على الرحلة الأخيرة القادمة إلى جدّة. شعرتُ بطاقة هائلة تسري في حنايا جسدي. وضعتُ مكياجاً صارخاً على وجهي، وصبغتُ شفتيّ

بإصبع روج فاقع اللون. أخرجتُ ثوباً من الجرسيه أرجوانيّ اللون يصل طوله لحدّ الركبة. بدا مظهري فاتناً، كأنّني امرأة تتأهّب لقضاء مغامرة ساخنة مع رجل مجهول. هاتفتُ صديقتي رانية اللبنانية التي يعمل زوجها في واحدة من كبريات الشركات الاستشاريّة في جدّة منذ سنوات طويلة. طلبتُ منها أن تُدبّر لي زجاجة ويسكي من أيّ نوع كانت وترسلها مع سائقها. ضحكت قائلة: «هل أنهيتِ الزجاجة التي أرسلتها لك الأسبوع الماضي؟ ستُصبحين مدمنة كحول إذا استمررت على هذه الحالة!». «لا تقلقي، أنا بخير»، أجبتها. أحضر السائق الزجاجة عند السابعة. كانت من النوع الفاخر الذي أحبّه. نفحته ثمنها الباهظ وركضتُ بها صوب المطبخ. حضّرت كأسي، ووضعتُ قوالب الثلج بالدلو الكبير، واتّجهت صوب غرفة المعيشة. جلستُ على المقعد الكبير وبجانبي الزجاجة. مددتُ قدميَّ على الوسادة الكبيرة الملقاة على الأرض أمامي. لم أتوقّف هنيهة عن الشرب. ما إن تفرغ الكأس حتّى أملأ التي تليها. عندما أخذتُ رشفة أولى من كأسي الرابعة بدأت الدنيا تدور بي. دقَّ جرس الباب عند الساعة التاسعة. وجدتُ نفسي أقف أمام محمود. صُعق من مظهري. كانت جمرة الشهوة تشتعل بفرجي. لمعة الشبق تنبثق بقوّة من عينيَّ. رغب في التراجع. ألححتُ عليه ليدخل. بدا متحرّجاً، وقال: «آسف جميلة، ربّما جئتُ في وقت غير مناسب، لكنّ حامد هاتفني وأخبرني بأنّه سيضطرّ للمبيت الليلة في الرياض. حاول الاتصال بهاتف البيت، لكن لم يردّ عليه أحد. طلب منّي المرور للاطمئنان عليكِ وعلى وجدان». كانت كؤوس الخمر قد سيطرت عليَّ كليّاً. لمحته يختلس النظر إلى هيئتي ونظراته تتلاعب فيها عشرات من علامات الاستغراب. لا أدري ماذا جرى بعدها. النيران أخذت تستعر في كلّ حنايا جسدي. فقدتُ السيطرة على نفسي. شددته من يده إلى داخل

البيت. شبكتُ ذراعيَّ بعنقه. حاول إزاحتهما بلطف. لم يفلح. دفعته ناحيتي أكثر. أطبقت بشفتيَّ على شفتيه. كان ريقه دافئاً، امتزج بريقي في انسيابيّة عجيبة. تمَّ كلّ شيء بسرعة خاطفة. كان يتملّكني شيطان جنوني. أخذته صوب غرفتي. مارد الرغبة سيطر على كلينا وأعمى بصائرنا. وجدتُ نفسي في مخدعي بين أحضان محمود، أنهل من فحولته بلا توقّف. غرقتُ معه في بحور النشوة مرّات عدّة. لا أعرف كم مرَّ علينا من الوقت! قفز فجأة من جانبي كأنّه لمح عفريتاً! ارتدى ملابسه على عجل وهرول خارج الغرفة. كلّ ما قاله لي ليلتها، وهو واقف عند باب مخدعي: «وجدان رأتنا. أرجوك سامحيني على ضعفي». كنتُ أتأرجح بين اليقظة والنوم، لم أستوعب لحظتها عبارته المغموسة بالندم.

4

صبيحة جُرمي انقلبت حالي. أفقتُ من نومي مبكرة على صداع شديد يكاد يشلُّ أطرافي. تنبّهت حواسّي لما جرى البارحة. أخذتُ أقرّع ذاتي. أحاسبها بقسوة على ما أقدمت عليه. لاحظ زوجي عند عودته أنّ حالة الاكتئاب عادت لي بشكل أعنف. انعزلتُ في غرفتي. أحسست كأنّ أطرافي تجمّدت ولساني فقد النطق. أغرقتُ مآقيَّ بالدموع حتّى تقرّحت أجفاني. فقدتُ شهيّتي للطعام. أفزع إذا حاول زوجي الاقتراب منّي. كنتُ أوقظه في الهزيع الأخير من الليل. أترجّاه أن يُخرس الأصوات التي تصرخ في أذنيّ، وأن يُبعد الأشباح التي تُحاول خنقي. أسأل نفسي... ما جدوى حياتي؟ أنا إنسانة حقيرة لا أستحقّ أن أعيش. مثلي يستحقّ الإعدام شنقاً في ميدان عام. أقرّع نفسي. أنظر بأسى إلى ابنتي وجدان. أراها وهي تهرب من أمامي. ترفض حضني. تتملّص من بين ذراعيّ. صرتُ أتخيّل روائح كريهة في البيت. أصرخ في الخادمة. ألومها على إهمالها. تقسم بأغلظ الأيمان أنّها نظّفت البيت على أكمل وجه. تلك الليلة تخيّلتُ منادياً يهتف باسمي. يُوقظني من نومي، يقودني من يدي باتّجاه نافذتي. كان زوجي يغطّ في النوم. أحسَّ بحركتي وأنا أتسلّق حافة النافذة. صرخ

كالمجنون. أمسكني في اللحظة الأخيرة. أخذ يضمّني، قائلاً: «كيف هنتُ عليكِ؟ أنا لا يُمكنني العيش بدونك!». بعد شهر من الجلسات الكهربائيّة، فتحتُ عينيَّ لأجد نفسي نائمة على أحد الأسرّة البيضاء. سألتُ الممرّضة التي كانت تقيس ضغط دمي: «أين أنا؟». أجابتني باسمة: «أنتِ في المستشفى. ستحضر الدكتورة ملك بعد ساعة لرؤيتك». أغمضتُ عينيَّ وعدتُ إلى النوم من جديد. فتحتُ جفنيَّ لأجد زوجي يجلس بجواري ممسكاً بيدي والابتسامة تعلو وجهه. كانت الطبيبة ملك سوريّة الجنسيّة، قدمت حديثاً إلى جدّة وذاع صيتها كطبيبة ماهرة خلال فترة قصيرة. طلبَت منه الانفراد بي. سألتني عن طفولتي، وعن الأشياء التي عكّرت صفوي في الفترة الأخيرة! انفجرتُ في البكاء. قلت لها: «أنا لا أستحقُّ أن أكون أمّاً. أنا امرأة خائنة. أقسم لكِ بأنّني لم أقصد خيانة زوجي». أكملت أسئلتها: «هل تتذكّرين ما حدث بالتفصيل؟». أجبتها بأنّ مشاهد تلك الليلة ضبابيّة في ذهني، لا أتذكّر الكثير من تفاصيلها. وضعت عينها بعيني وسألتني: «هل تُحبّين زوجك حقّاً؟». أقسمتُ لها بأغلظ الأيمان أنّني أحبّه، ولا أتصوّر حياتي بدونه، ولا أحتمل العيش بعيدة عنه وعن ابنتي وجدان. حكيتُ لها والدموع تنهمر على وجنتيّ، أنّني إذا فقدتُ زوجي، فلن أستطيع تعويضه، وأنّه رجل نبيل النفس يسعى دوماً لإرضائي. ابتسمت بوجهي قائلة: «أعلم أنّ الخيانة أمر فظيع، وأنّ المنطق يقول بأن لا مبرّر لها، لكنّ ما جرى كان خارجاً عن إرادتك. لقد كنتِ في حالة من حالات هوسك الشديدة، لكنّني لا أعفيكِ كليّاً من تحمّل هذا الخطأ الفادح! كان عليكِ عدم ترك أدويتك، وعلى حدّ علمي طبيبك السابق حذّرك من مغبّة التوقّف عن تناولها! ستّ جميلة، أولاً، عليكِ أن تطلبي من ربّك الصفح والغفران على خطيئتك. ثانياً، أريدك أن تهيلي التراب على هذه الواقعة المؤلمة. اطردي الوساوس من عقلك، واطوي هذه

الصفحة من حياتك للأبد. إذا حرصتِ على تناول دوائك بانتظام، وداومتِ على حضور جلساتك النفسيّة، أعدكِ بأنّ حالتك ستتحسّن وستتضاءل مع مرور الأيّام إلى أن تختفي كليّاً». أعادت كتابة وصفة أدويتي المعتادة، إضافة إلى حبوب الفاليوم لمعالجة الأرق الذي كان يُهاجمني ليلاً.

5

وجدان مهجة قلبي وقطعة من فؤادي. كانت النبتة اليانعة التي زرعها الله في حديقة عمري. آمنتُ دوماً بأنّه قدّم لي أروع هبة عندما ولدتها. حمدتُ ربّي لأنّه أكمل سعادتي بها. لم أظنّ وقتها أنّ قدري كان يُلاحقني عمداً، وأنّه يضمر لي الكثير من مشاعر الكره. لم أعبأ يوماً بنظرات أبي الجزعة التي كان يُحاصرني بها. أوهمتُ نفسي بأنّ نظراته العجيبة نابعة من كوني وحيدته! حدثت أول انتكاسة لي بعد ولادتي لابنتي مباشرة. دخلتُ في حالة اكتئاب شديدة، وبعدها انفرطت سبحة أوجاعي. عانيت سنوات طويلة من جنوني. كان أكثر ما يُعذّبني أنّ زوجي صار يعيش حالة خوف مستمرّة. لم يألُ جهداً في اصطحابي لكلّ طبيب نفسي يسمع عن مهارته أملاً بشفائي. آه كم أتمنّى أن تصفح ابنتي عنّي، وأن تنسى أمر تلك الزلّة التي لم يكن لي يد في صنعها. ربّما غداً بعد أن تذهب روحي إلى بارئها ستُسامحني، وستُدرك أنّ الله يمحو الذنوب جميعاً إذا كانت توبتنا صادقة! تمنّيتُ لو أستيقظ على قبلة من شفتيها على وجنتيّ. أن ألمح نظرة حبّ في عينيها نحوي. لطالما وددتُ أن أجلسها في حجري وأقسم لها أنّني أحببتُ أباها مقدار حبّه لي وأكثر، وأنّ مرضي هو الذي أعاقني عن

التعبير له عن هذا الحب. أن أسألها.. كيف تظنّين أنّه يمكنني أن أقابل هذا الكمّ من الوفاء بالغدر والخيانة؟ أنا لستُ بهذه الخسّة! صرتُ كلّما حضر بذهني مشهد خيانتي، أخرُّ ساجدة لربّي طالبة منه أن يُسامحني على جريرتي، وألّا يردّ لي الصاع صاعين. أن لا يُسلّط عليَّ قدري آمراً إيّاه بأن يضربني بلا رحمة ضربات موجعة على أمِّ رأسي! كم تمنّيتُ لو واتتني الجرأة حتّى أعترف لابنتي بأنّني بريئة بعلوّ صوتي. أنّني أحبُّ أباها حبّاً لم يُكتب عنه من قبل في سجلّات العشّاق ودفاتر المحبّين. ما أقسى حمولة الذكريات حين تكون ثقيلة! ما زلتُ أتذكّر ذلك اليوم البعيد. كنتُ أزور طبيبتي، فسألتها عن مقدار نسبة انتقال مرضي إلى ابنتي! استغرقت هنيهة في الردّ وأجابتني بنبرة حذرة: «الاحتمال كبير جداً. ليس سرّاً أنّ جيناتنا تجري في عروقنا!».

«دكتورة، إنّنا نتحمّل على مدار عمرنا الكثير من قسوة الحياة، لكن من الصعب أن نسمح للآلام بأن تجتاح حيوات أبنائنا ونُمارس دور المتفرّجين! نحن بدواخلنا نرفض تقبّل فكرة أن نرى صورتنا المشوّهة تنعكس صفحتها على ملامحهم. أليس كذلك؟». أشاحت بعينيها بعيداً دون أن تقابلني بردّ يُطفئ جمرة خوفي.

فشلتُ في مقاومة مرضي. غرقتُ كالعادة في بحيرة اكتئابي نتيجة تمرّدي على تناول دوائي، وغدا نومي متقطّعاً. فتحتُ جفوني عند الساعة الثانية صباحاً. نهضتُ من جوار زوجي. لم يشعر بخطواتي. كان متعباً بعد يوم من العمل الشاق الطويل. أصوات مبهمة كانت تُناديني وتلحُّ عليَّ بالذهاب إلى غرفة وجدان. تطلب منّي تخليص ابنتي من العذاب الذي ستتعرّض له في كبرها. وقفتُ عند ذيل سريرها. تأمّلتُ وجهها الملائكي وهي مستغرقة في نومها. ما أجمل وداعتها. اقتربتُ منها. ترقرقت عيناي. سقطت دمعتان على صفحة وجهها. شعرتُ بقلبي ينقبض وباختناق في تنفّسي.

صرتُ أردّد... لن أدعها تُصبح صورة منّي. لن أجعل ابنتي تُعيد تمثيل مشاهد حياتي. لماذا أنجبتها؟ لماذا كنتُ أنانيّة كأمّي التي لم تُقدّر عاقبة ما فعلته بي؟ الأسلم أن أريحها من عذاباتها القادمة لا محالة. وجدتُ ذراعيّ تطبقان على عنقها. استيقظت مربّيتها على وجدان وهي تصرخ بنبرة مكتومة، وتضرب السرير بساقيها. أتى زوجي مسرعاً إلى الغرفة على صراخ مربّيتها. خلّصها بصعوبة من بين يديّ. لا أدري ما الذي جرى بعدها، دخلتُ في غيبوبة طويلة.

مكثت عدّة أسابيع في المستشفى. عند عودتي إلى البيت تلفتُّ حولي بحثاً عن وجدان، كنتُ في شوق عارم لها. كم كانت ابنتي قاسية عليَّ بالرغم من صغر سنّها. أحسستُ في تلك اللحظة بمارد الحزن يجثم على صدري. يرشقني بنظراته الناريّة ويصلبني في مكاني. غدت نظرات زوجي تُلاحقني كلّما حاولت الاقتراب من ابنتي لآخذها في أحضاني. سمعته مراراً وتكراراً يُطلق تحذيراته لمربّيتها بألّا تدعها تغيب عن عينيها، بألّا تتركها بمفردها معي. مع كلّ هذا القدر القاسي من الخوف على وجدان، ورائحة الريبة والحيطة التي أصبحت تملأ أرجاء البيت، إلّا أنّ وهج الحبّ لم يغب عن عيني زوجي، وظلّ متّقداً لم تُغيّره الأيّام ولم تطمسه سنوات مرضي الطويلة.

مسكين زوجي، تحمّلني كثيراً... لم أحظَ بتعليم كافٍ. ارتأى أبي أنّ شهادة الثانوية مع الارتباط برجل من أصل طيّب، كفيلان ببناء أسرة ناجحة وسعيدة. كنتُ على مشارف الثلاثين حين تُوفي أبي. لم أشعر باليتم إلّا حين مات وغابت صفحة وجهه عنّي. منذ أن ظهرت بوادر مرض أمّي عليّ، اعتاد أبي الذهاب شهريّاً إلى مكّة لأداء العمرة. كان يقول لي: «الله سيستجيب يوماً لدعائي، وستشفين بإذنه تعالى». وهو في طريق العودة، انقلبت به السيارة ومات في التوّ مع سائقه. كانت ابنتي وجدان وقتها تتأهّب لدخول عامها الثاني عشر.

لا أعرف لماذا لم يتقبّل الله تضرّعات أبي؟ هل هناك حكمة ربّانيّة من حرماني منه؟ هل كان ذلك عقاباً رادعاً بسبب ما اقترفته في حقّ زوجي وخيانتي له، فأراد أن ينبّهني إلى فداحة فعلتي؟ ألا يقول الله في قرآنه إنّه يعلم ما في خبايا النفوس، إذاً لمَ يصفعني بين حين وآخر ولا يُصغي لدعواتي، أم تُراه يحمل لي بشرى سارّة لم تزل عالقة بين السماء والأرض تنتظر إذنه للنزول؟

حامد

1

كنتُ في العاشرة من عمري، عندما سمعتُ للمرّة الأولى معلّمي في حصّة الدين يقول لنا إنّ كلّ امرئٍ له من اسمه نصيب. عدتُ من المدرسة والفضول يتملّكني. بحثتُ عن أمّي في أرجاء البيت. وجدتها منهمكة بتحضير سفرة طعام الغداء. سألتها: «أمّي، لماذا سمّيتني حامد؟». قالت بنبرة حانية: «كي تحمد الله على ما يُعطيك إيّاه وإن كان بوزن النملة». عدتُ إلى سؤالها: «وهل للنملة وزن يا أمّي؟». أخذتني في حضنها. لثمت كفّي الصغيرة. مسحت بحنوّ على شعري، وقالت: «كلّ الأشياء في حياتنا لها قيمة، وإن كانت بوزن الريشة».

مرّت السنون في بيتنا هادئة. أحمل في جعبتي الكثير من الذكريات الحلوة. تعود أصول أسرة أبي إلى مدينة الطائف. نزح جدّي منها إلى مدينة جدّة منذ باكورة حياته. ترك جبال الطائف وبرودة جوّها ليستقرّ في جدّة بعدما استهواه بحرها. أبي وُلد وترعرع في شقة بحيّ الشرفيّة. عندما بلغ العشرين زوّجته جدّتي زواجاً تقليديّاً بفتاة رأتها في أحد الأعراس. لفتت انتباهها بهدوئها وحلاوة مقاطعها. كانت أمّي امرأة بسيطة من أسرة معروفة بتديّنها. تعوّدت توزيع وقتها بين المداومة على حلقات تحفيظ القرآن وحضور

الندوات الدينيّة في بيت واحدة من صديقاتها، وبين العناية بزوجها وطفليها. كان محمود ابن عمّي الأقرب إلى قلبي بين أولاد عمومتي. عند بلوغي سنّ الحلم، صرتُ أنا ومحمود نسعى لشراء مجلّات البلاي بوي. يجلبها لنا زميل لنا في المدرسة. نُخبّئها عن أعين أهالينا ونتصفّحها بشغف، ونُعلّق ضاحكين على كلّ صورة معروضة فيها. كان محمود أكثر جرأة منّي. يحكي أمام الفصل كلّه بدون أن يرفّ له جفن كيف استمنى ليلة البارحة على صورة لفتاة مثيرة، انبهر بتضاريس جسدها. كنتُ أتبع خطاه في الخفاء وأكتم فعلتي عنه وعن رفاقي في المدرسة. شعرتُ بالحزن عندما سافر محمود إلى كندا للدراسة. ترك فراغاً كبيراً لم يستطع أحد ملأه. حاول محمود قبل سفره تشجيعي على السفر معه. رفضتُ بشدّة. قلتُ له: «مناخ الغربة لا يُناسبني». انشغلتُ بتقديم أوراق قبولي في جامعة الملك عبد العزيز. كانت الفيلا الملاصقة لنا معروضة منذ سنة للبيع. لاحظتُ عند عودتي للبيت أنّ اللافتة قد أُزيلت من مكانها، وسيّارة نقل كبيرة تنزل الأثاث إلى داخل المنزل. سألتُ والدتي بعدها بأيّام قلائل، إن كانت قد تعرّفت إلى جيراننا الجدد! استعاذت من الشيطان، وأجابتني بأنّها غير متحمّسة لمعرفتهم، بعد أن أخبرتها صديقة لها بأنّ الزوجة الأولى لمالك البيت قد ماتت منتحرة بعد أن مسّها جنّي كافر وهي تغنّي عارية في الحمام، وأنّ زوجها دار بها على عدد من المشايخ المعروفين لكنّهم فشلوا في طرد الجنّي الذي أبى أن يُفارق جسدها. خطرت على بالي لحظتها العانس خديجة، التي كانت تسكن في الشقة المقابلة لنا في نفس البناية التي كنّا نُقيم فيها، وذلك قبل انتقالنا إلى المنزل الذي نقطنه الآن. كنتُ أيّامها في العاشرة من عمري ويرتجف قلبي كلّما لمحتها تقف عند باب شقتها وترشقني بنظراتها الغريبة. كانت تعيش بمفردها بعد أن مات ذووها ولم يعد هناك من يسأل عنها

سوى خالتها العجوز التي توقفت عن زيارتها بعد أن أعياها المرض وأصبحت مقعدة بحاجة لمن يرعاها. ذات صباح خرجت خديجة من البيت ولم تعد. هناك من يقول إنّ الشرطة وجدت جثّتها في أحد الأزقة بعد أن اغتُصبت وقُتلت بطريقة وحشيّة. وهناك من يؤكّد أنّ أحدهم أشفق عليها وسلّمها إلى مستشفى الأمراض النفسيّة في الطائف لتقضي هناك بقيّة حياتها. ظلّت شقتها مغلقة ينبعثُ من داخلها مواء القطط الشاردة التي اتّخذت منها مأوى لها. كان الناس يُردّدون أنّ خديجة كانت في الماضي فتاة عاقلة وأنّ سبب جنونها يعود إلى صدمتها التي تلقّتها من خطيبها ليلة زفافها. وقفت المسكينة تترقّب حضوره وهي مرتدية فستانها الأبيض، لتكتشف أنّه تلك الليلة قد أولاها ظهره ليقترن بأخرى بعد أن سرق إرثها الذي تركه لها والدها. خرّت على الأرض مغشيّاً عليها ولمّا أفاقت من غيبوبتها كان عقلها قد ولّى إلى غير رجعة. البعض ظلّ معتقداً بأنّ جنيّاً استغلّ كمدها ليلتها ليحتلّ جسدها.

لم أتطرّق ثانية مع أمّي إلى أحوال جارنا الجديد. ظننتُ أنّه حديث نسوان، وأنّ المسألة برمّتها لا تستحقُّ منّي ذرّة اهتمام. انهمكت بسنتي الأولى في الجامعة. كان شباب الحيّ يجتمعون مرّة في الشهر للعب كرة القدم، في الفناء الواسع الواقع أمام منزلنا. بعد نهاية المباراة كنّا نتجمّع في بيت واحد منّا، ونتحدّث في أمور الجامعة وسلوكيات بعض الطلبة وعصبيّة أساتذة بعينهم في تعاملهم الفظ معنا. التقط سمعي فجأة حديثاً هامساً يدور بين اثنين من رفاقي. قال أحدهما للآخر هامساً: «لقد لمحتُ البارحة ابنة الأستاذ توفيق وهي خارجة برفقة أبيها وزوجته. بالفعل كما أخبرتني هي فتاة فائقة الجمال». ردّ الآخر: «لقد تحصّلت على رقم هاتفهم بصعوبة، واتّصلت مرّات عدّة، لكن لا فائدة من محاولاتي.

زوجة أبيها هي التي تردّ دوماً على الهاتف». وكأنّ حروف اسم جميلة انحفرت تلك اللحظة على جدار قلبي. دفعني الفضول لرؤية هذه الفتاة التي يسيل لعاب شباب الحيّ كلّما أتوا على سيرتها. تسلّقتُ سور بيتنا بعدما خفّت حرارة الشمس، وطافت نسمة عليلة في أرجاء المكان. من حُسن حظّي أنّ جميلة كانت تسير في الحديقة ومشغولة بقطف بعض الزهور. أذهلني جمالها الفاتن. أصبحت عادة التلصّص تُلازمني. اليوم الذي لا تنزل فيه إلى الحديقة ولا ألمحها يعتريني الضيق. عندما أخبرتني علويّة بأنّ جميلة سترافقها إلى المدرسة بسيّارتي، هلّلتُ في أعماقي. ظللتُ طوال الليل ألاحق عقارب الساعة. ما إن ظهر ضوء الصباح عبر شقّ النافذة، حتّى لبست ثوبي وحثثتُ علويّة على الإسراع في الخروج، متحجّجاً بأنّ لديّ محاضرة مبكرة. ما إن دلفت جميلة بقدميها إلى داخل السيارة، وجلست على المقعد الخلفي، حتّى سطعت رائحة جلدها وتسرّبت إلى خياشيمي. قالت بنبرة تفيض عذوبة: «صباح الخير». فأدركتُ من لحظتها أنّني لن أنعتق من حبّ هذه الفتاة حتّى مماتي.

2

تراقص قلبي من الفرح حين أخبرتني جميلة بأنّها تُبادلني مشاعري. لم أنتظر نتيجة تخرّجي من الجامعة. أخبرتُ أمّي بنيّتي التقدّم لها، فأصابها سهم الوجوم. استعانت بأختي علويّة كي تقنعني لأعدل عن قراري. عندما أظهرتُ لها إصراري، قالت لي: «لا أحد يستطيع الوقوف بوجه المكتوب. كلّ ما أملكه هو الدعاء لك وأن تكون سعيداً في حياتك». ظلّت أمّي، كلّما ذهبتُ لزيارتها، تنظر إليّ بعينين مثقلتين بالهموم إلى أن ماتت، لكنّها لم تُظهر مطلقاً قلقها عليّ وارتأت أن تدفنه معها في قبرها.

رضيتُ بالمقسوم الذي كتبه الله في لوحي. لم أتذمّر ولم أشتكِ يوماً لمخلوق. في أصعب لحظات مرض جميلة، كنتُ ألتصق بها وأشمُّ أنفاسها بسعادة لا حدود لها. حمدتُ الله على عطيّته وأدركتُ من لحظتها أنّ كلّ إنسان له من اسمه نصيب، كما كان يقول معلّمي في المدرسة. لم أكلّ ولم أملّ يوماً من نوبات المرض التي كانت تُلاحق زوجتي! حدث معيّن جعلني أتهاوى وأنحشر في كهف مظلم حاولت أيّاماً طويلة التحرّر منه! كان ذلك لحظة اعتراف جميلة لي بخطيئتها مع ابن عمّي محمود وأنّ وجدان رأتهما في ذلك الوضع

المخلّ! تماسكت، فكيف يُمكنني معاقبة مريضة على تصرّفات ليس لها يد فيها! واتتني أيّامها خواطر كثيرة، مثل أن أسافر في جنح الليل إلى الرياض وأسدّد إلى محمود طعنات قاتلة في قلبه، كما طعنني في كرامتي وخان الأمانة، مستغلّاً نوبة هوس زوجتي ليُطفئ شبق شهوته. ومرّة فكّرتُ بأن أبعث له رسالة يحمل محتواها تقريعاً ممزوجاً بوعيد وتهديد بأنّني سأقتصُّ منه لفعلته الدنيئة، ولن أتركه لضميره، فهذه عبارة يتفوّه بها الضعفاء. لكنّني في كلّ مرة كنت أعود فأتراجع عن تنفيذ مخططاتي، حفظاً لماء وجهي وصوناً لكرامة زوجتي وأمّ ابنتي.

الزمن تكفّل بتطبيب جراحي، ودفن هذه الذكرى القاسية في قبو الماضي، لكنّني ظللتُ عمري كلّه أتمنّى لو أنّ بإمكاني محو هذه الواقعة من ذاكرة طفلة صغيرة لا تعرف شيئاً عن دنس الدنيا. لقد كانت نظرات اللوم التي ترميها وجدان باتّجاه والدتها تنغّص حياتي وتنكأ جراحي بين فينة وأخرى. لكنّ الليلة التي حاولت فيها زوجتي قتل ابنتها، لم تمَّحِ قطّ من ذهني، وظللتُ سنوات كلّما وضعتُ رأسي على الوسادة، أتخيّل ذلك المشهد المرعب، فأقفز من مكاني وأهرع إلى غرفة وجدان لأطمئنّ إليها. وشعرتُ براحة كبيرة حين تزوّجت وجدان وتركتنا.

يوم أعلمني الطبيب أنّ مرض زوجتي قد اخترق عقل ابنتي ولاحت بوادره عليها، اعتصرني الألم، ودارت بي الدنيا. تمنّيت لو أهبها عقلي كي تنعم بحياتها. حرصتُ على إخفاء الأمر عن الجميع. كنتُ أعلم مسبّقاً بكمّ الحزن الذي ستُعانيه أمّي من أجل حفيدتها، وبرصاصات الشماتة التي ستُطلقها أختي علويّة في كافة الاتّجاهات، لكن كان من الصعب كتمان الحقيقة، وسرعان ما انكشف المستور وعرف أهلي أنّ ابنتي تسير على درب أمّها.

أتذكّر عندما كنّا في تركيا، واعترضت طريقنا تلك المبصّرة العجوز التي أخبرتني بأنّ عمر زوجتي قصير، ذلك المساء كان أقسى

المساءات عليّ. ضممتُ جميلة إلى حضني، وقلتُ لها: «من الذي يملك أن يأخذك منّي. قدرنا واحد. أنا أتنفّسُ بك، ولن يكون لي حياة بعدك. لن يستطيع ملك الموت أن يتجرّأ ويقترب منّك، وسياج حبّي يُحيط بك ويحرسك ليلاً ونهاراً».

أنا لم أكن ملاكاً، ولم أكن صافي النيّة كما ظنّ الكثيرون. لم أكن أرفض لجميلة طلباً. أشتري لها زجاجات الخمر كي أرضيها وأشبع شهوتي. كانت فحولتي تتغلّب على اتزان عقلي. أغتبط حين تدخل جميلة في نوبة من نوبات هوسها. أندفع معها. أرتوي من نبع أنوثتها التي لا تعرف حدوداً. أعوّض أثناءها حرماني منها أيّام اكتئابها الطويلة وعزوفها عن ممارسة الجنس معي. عندما أبلغني الأطبّاء بأنّ شفاء محبوبتي قد بات أمراً مستحيلاً نتيجة رفضها التامّ تناول أدوية الاكتئاب، لم أعلن عصياني على قدري، بل ظللتُ أُصبّر نفسي، وأمنّيها بأنّني عندما سألتقي بها في الآخرة ستكون سليمة العقل مثل كافّة البشر، فلا مكان للمجانين في الجنّة.

كانت أختي علويّة في صغرنا قريبة منّي. تجمعنا لحظات ممتعة بفضل أمّي وأبي اللذين حرصا دائماً على رسم البسمة على شفاهنا. عندما خطبتُ جميلة تباعدنا، كأنّ شرخاً مفاجئاً فصم مشاعر أخوّتنا للأبد. تحمّلت تقريعها لي لإدراكي أنّها كانت تتمنّى لأخيها أفضل البنات. حاولتُ إفهامها مراراً أنّ الحبّ عندما يقبض بيديه على أرواحنا، من الصعب أن نتحرّر من قبضته إلّا إذا قرّر هو الرحيل بمحض إرادته وتركنا لمصائرنا.

تعبتُ مع جميلة في رحلة مرضها وخارت قواي مرّات كثيرة، لكن ما زالت بنظري تلك الفتاة التي لم تتجاوز الخامسة عشرة من عمرها، والتي ربطتُ منذ الوهلة الأولى مصيرها بمصيري. هذه الذكرى، هي الزاد الذي أحمله بدواخلي كلّما شقّ عليّ الطريق

وشعرت بثقل أحمالي. اعتدتُ وأنا أخلد إلى فراشي أن أحضنها وألثم شعرها وأضمّ جسدها الدافئ، وأرمي بكلتا يديّ الصور الأليمة في قعر بئر بالغ العمق كي لا تُعكّر صفو حبّي الخالد.

خيوط عنكبوتيّة من الماضي

1

طوال عمري تمنّيتُ أن أعيش حياة عاديّة كأيّ فتاة في عمري. أن تكون أمّي مثل سائر الأمّهات. أن أرى عينيها تُلاحقانني أينما ذهبت. أن أنام كلّ ليلة على حكاية مختلفة تحكيها لي بصوتها العذب. أن أجدها بانتظاري عند عودتي من المدرسة لتأخذني في أحضانها، وأحسّ بمدى لهفتها عليّ، وتسألني بشوق مفرط كيف كان يومك! أن تطهو لي بيديها الطعام الذي أحبّه. أن أرمي مخاوفي على صدرها كلّما داهمني حلم مزعج وأقصّ عليها تفاصيله. آه ما أجمل أن تُحيط بنا عينان حانيتان وتضمّنا يدان نغفو على ضمّتهما عندما تنعس جفوننا. ما أروع أن نُسافر إلى أقاصي الأرض، ونسمع صوتاً مُغلّفاً بالحبّ يلهج خلفنا داعياً المولى أن يحفظنا في حلّنا وترحالنا. كلّ أمنياتي البسيطة انجرفت مع سيل جنون أمّي.

أتذكّر في عامي الرابع عشر، أنّني تشجّعت واقتربتُ من أمّي وسألتها وهي غارقة في لُجج اكتئابها ومنخرطة في بكاء متواصل: «لماذا تبكين يا أمّي؟». أجابتني بعينين منتفختين وأنف محمرّ: «لا أشعر برغبة في الحياة... ما جدوى بقائي؟! أريد أن أموت وآخذك معي بعيداً كي لا تشقي من بعدي». تذكّرتُ واقعة الماضي عندما

رغبت في قتلي. تحسّست رقبتي. شعرتُ برجفة تسري في بدني. هرعتُ إلى غرفتي وأوصدتُ الباب عليّ من الداخل. انفرطت سبحة دموعي. ما قيمة أمّي في حياتي إن كانت هي نفسها مصدر شقائي!

مع بدء مراهقتي التهيتُ بتغيّرات جسدي وتقلّبات مشاعري. خفّ كمّ التساؤلات الدائرة في ذهني والمنصبّة على أمّي. حلَّ مكانه خجل من تصرّفاتها. أتجنّب ذكر اسمها أمام زميلاتي في المدرسة. أتهرّب من استقبالهنّ في بيتنا. تنتهي علاقتي بهنّ مع خروجي من بوّابة المدرسة. أتذكّر أفعالها الغريبة! عندما كنّا في رحلة إلى تركيا، كنتُ في مستهلّ عامي الخامس عشر. سافرنا إلى مدينة إسطنبول لقضاء عطلة منتصف العام الدراسي التي استغرقت عشرة أيّام. نزلنا في فندق قديم بعض الشيء وسط ميدان تقسيم الذي كان يزخر بالمقاهي الجميلة والدكاكين الصغيرة المشهورة ببيع التذكارات القديمة والحليّ المصنوعة من الفضّة. بعد أن وضعنا حقائبنا، أخذنا أبي في جولة بالمنطقة سيراً على أقدامنا. استوقفتنا امرأة طاعنة في السنّ. نظرت إلى أمّي بإشفاق. خاطبت أبي بلكنة عربيّة شاميّة: «إنتو عرب، مو هيك؟». حاول أبي إزاحتها برفق من أمامنا. استمرّت في الكلام: «إنتَ مسكين. ترى هايدي المره الحلوه اللي معك ما حتعيش كتير». في حياتي لم أر وجه أبي ممتقعاً كما رأيته في ذلك اليوم. ردّ عليها: «لن تنالي منّي ليرة واحدة». أحاط أمّي بذراع، وأحاطني بالأخرى، وأكملنا طريقنا. يومها ظللت أسترق النظر إلى أمّي، وفي عينيّ تربض عشرات من الأسئلة الحائرة... هل حقّاً أمّي ستموت قريباً؟ ماذا سيفعل أبي؟ هل سيتزوّج بأخرى كما فعل جدّي؟ بعد أيّام قليلة من وصولنا، استيقظ أبي من النوم فلم يجد أمّي بجواره. كانت قد تسلّلت عند طلوع الشمس وقدوم النهار، إلى السوق بحزمة من الليرات التركية. خرج أبي كالمجنون يبحث

عنها. عثر عليها بعد ساعتين قرب الفندق وبرفقتها عامل يسير معها محمّلاً بكمّ هائل من المشتريات لم يفلح في إرجاع معظمها. عند عودتنا إلى جدّة قدّمها هدايا تذكاريّة لمعارفه وأصدقائه. لم تكن هذه المرّة الأولى التي تقوم فيها أمّي بمثل هذه التصرّفات! كان مسلسل حوادثها لا ينتهي! في حالة هوسها تندفع دون وعي لشراء أغراض كثيرة للبيت، وأحياناً ثانية تُبدّد النقود في شراء حاجيات لها ولأبي ولي. في مرّة من المرّات، عدتُ من المدرسة لأجد عدداً كبيراً من الأحذية تتجاوز العشرة، موضوعة داخل صناديقها الكرتونيّة البيضاء وسط الصالة. كانت أمّي مستلقية على الأريكة الكبيرة، تُتابع مسلسلاً كوميدياً لعادل إمام في التلفاز، وتقهقه عالياً. ما إن رأتني أمامها حتّى قامت وضمّتني إلى حضنها قائلة: «ما رأيك حبيبتي؟ لقد اشتريت كلّ هذه الأحذية لك». أخذت تعرضها أمامي الواحد تلو الآخر. فغرتُ فاهي. كان الحذاء ذاته بألوان مختلفة... سحبتني من يدي إلى داخل غرفتي. أشارت إلى أثواب كثيرة ملقاة على سريري وبطاقات أسعارها لم تزل معلّقة بها، قائلة: «كلّ هذا لكِ. ما رأيكِ بهذه المفاجأة؟». كانت قد غافلت أبي ذلك اليوم وأخذت بطاقته الائتمانيّة من محفظته. عند عودة أبي إلى البيت صُعق من كمّيّة المشتريات. تمالك أعصابه كعادته. أعاد معظمها إلى المتاجر، بعدما ترك لي حذاءين وثوبين كانا قد نالا إعجابي. من يومها حرص أبي على إخفاء بطاقاته الائتمانيّة عن عينيْ أمّي في درج سيّارته.

2

يُقال إنّ الدفء الأسري الذي نتذوّقه في صغرنا، له علاقة بتكوين شخصياتنا عندما نُودّع طفولتنا إلى الأبد، وإنّ ما نحمله في جعبتنا من ذكريات سعيدة، يغدو مثل التعويذة التي تقينا من غدر الحياة عندما تُولينا ظهرها، وتجعلنا أكثر صلابة في مواجهة تقلّباتها. لا أعرف إلى أيّ مدى تصدق هذه المقولة، لكنّي بدأتُ أسمع همساً يطالني بأنّني إنسانة انطوائيّة غريبة الأطوار! لم أسعَ لدفع هذه الاتهامات. كان القلق والخوف يُلازمان حياتي. أقف عاجزة لإثبات العكس. تآلفتُ مع وحدتي. كان أبي وجدّي لأمّي، إلى أن رحلا عن هذه الدنيا، يُمثّلان صِمام الأمان في أوقاتي العصيبة. كنتُ في بداية عامي الثاني عشر حين فاجأتني الدورة الشهريّة. بكيت وأنا أرى الدم يتدفق بين فخذي ويُغرق شرشف سريري. أخذت مربّيتي تُهدّئ من روعي. ناولتني حِفاضة قطنيّة. أرتني كيف ألصقها على سروالي الداخلي وقالت لي بنبرة حانية: «إنتِ صرتِ بنت حلوه. أنتِ ما لازم يخافي حبيبتي. إنتِ لازم يفرحي. بكره الأولاد يحبوك». سرعان ما انتفخ ثدياي، وتكوّرت مؤخّرتي، واستدار جسدي، ونضجت ملامحي. صحيح أنّ الله ضنّ عليّ بمفاتن أمّي، لكنّه منحني قواماً جميلاً. بدأت

تنتابني أحاسيس غريبة لم أعرفها من قبل! فوران في جسدي، ورغبة جنسيّة تلحّ عليّ كلّما شاهدتُ فيلماً يتضمّن مشاهد ساخنة، أو حين ألمح شاباً وسيماً في أحد الأسواق التجاريّة يُطالعني بإعجاب، فيتحرّك بركان شهوتي. وددتُ لو كانت أمّي حاضرة في وعيها معي كي أصف لها ما أحسّ به. لقد كان رباط الأبوّة يمنعني من أن أحكي لأبي عنها.

عند زيارات عمّتي علويّة القليلة لبيتنا، كانت تصطحب معها ولدها البكر وليد. أتعمّد لبس بنطالي الاسترتش الأسود وقميصي القطني الضيّق المزركش الألوان أمامه. ألاحظه يرشقني بأسهم عينيه المطعّمة بالرغبة المتعطّشة، فتشبع غروري كفتاة لم تزل براعم أنوثتها في بداية تفتّحها. نتبادل الحديث في اقتضاب. يسألني عن دراستي وأعاود أنا الأخرى سؤاله عن المذاكرة. وليد له رائحة نفّاذة تقتحم خياشيمي وتُثيرني. يصغرني بعام واحد فقط. ذات مرّة، غافل أبي وعمّتي وتسلل إلى غرفتي. كنتُ أقف سارحة بفكري عند النافذة وقد أسندتُ كوعيّ إلى حافتها وملتُ بجذعي العلوي للخارج فبرزت أردافي. لم أنتبه إلى وقع خطواته. ضمّني إليه من الخلف وقرصني في أحد ثدييّ، قائلاً: «لكِ مؤخّرة مثيرة». تملّصت من بين ذراعيه ودفعته عنّي وصفتعه على صدغه. احتقنت ملامحه غضباً وخرج مزمجراً قائلاً: «أعذرك، فأنتِ مجنونة مثل أمّكِ». لم أرَ وليد من يومها. لمحته مرّة في المركز التجاري Red Sea Mall، بعد هذه الواقعة بسنوات. كان يسير وبجانبه زوجته وقد انتفخ بطنها ويبدو من مظهرها أنّها في شهور حملها الأخيرة. تعمّدت الوقوف أمامه وإلقاء التحيّة عليه. عرّفني إلى زوجته بتحفّظ ومضى دون أن يسألني حتّى عن أحوالي.

3

عند وصولي إلى الصف الثالث الإعـدادي، بدأتُ أتوق للتعرّف إلى بنات في مثل عمري، فنتصادق وتغدو بيننا أسرار مشتركة. كانت أوراق أنوثتي قد اخضرّت. التقيتُ للمرّة الأولى بأسماء. والدتها لبنانيّة الجنسيّة ووالدها من العوائل الجدّاوية المشهورة بتجارة الذهب. كلام أسماء خليط من اللهجة الجدّاويّة ولهجة أمّها البيروتيّة. جاء مقعدانا في المدرسة متجاورين. أسماء كانت متوسّطة الجمال. ورثت بياض بشرتها من والدتها. كان لها شعر طويل سائح وغزير يميل إلى اللون النحاسي. عيناها واسعتان، طويلتا الأهداب، وبؤبؤاها يشبهان لون الفستق الحلبي بعد تقشيره. قصيرة القامة ونحافتها زائدة إلى حدّ أنّ ترقوتيْ صدرها تبرزان من فتحة قميصها المدرسي. كان موعد مجلس الأمّهات قد أزف. تغيّبت أمّي كعادتها عن الحضور نتيجة تعرّضها لنوبة من نوبات اكتئابها. سألتني أسماء في اليوم التالي: «أنا جيت مع أمّي أمس. ليه ما شفتك إنتي وأمّك؟». لم أعرف بماذا أُجيب! دمعت عيناي وأطرقتُ برأسي. رمتني بنظرة حانية. منذ تلك اللحظة، نشأت بيننا ألفة ونبتت صداقة دافئة. كانت الوحيدة التي سمحتُ لها بزيارتي. عندما يكون مزاج أمّي معتدلاً كانت تجلس معنا، وتتبادل

الحديث مع أسماء وتسألها عن أسرتها وعن أحوالها في المدرسة. وفي أغلب الأوقات، كانت أمّي تنزوي بغرفتها ولا ترغب في رؤية أحد. ألاحظ أسماء حينها تتلفّتُ حولها بحثاً عنها دون أن تسألني مباشرة عن سبب غيابها! كان أبي مسروراً بأنّه أخيراً أصبحت لي صديقة مقرّبة. كنتُ أحكي له بحماسة عنها. شجّعني على زيارة أسماء في بيتها. أحببت والدتها. تمنّيتُ لو كانت أمّي تشبهها في صحّة عقلها. كانت جميلة، دمثة الطباع، وإن كانت أمّي تفوقها حُسناً. كلّما زرتُ أسماء في بيتهم، تحرص أمّها على إعداد كيكة البرتقال وسلطتي التبّولة والفتّوش بجانب فطائر الجبن والزعتر، بيديها. تضعها أمامنا على الطاولة الخشبيّة في حديقتهم، فإذا ما قرصنا الجوع نهرع صوب الأطباق ونلتهمها بنهم. كانت تُراقبنا من بعيد بابتسامة لا تُفارق ثغرها. عندما انتقلنا إلى الصف الأوّل الثانوي، انضمّت إلينا في المدرسة إكرام. جمالها هادئ وقسماتها طفوليّة، وتتمتّع بصوت أنثوي أخّاذ. لها بشرة سمراء لامعة. عائلتها من الأسر المعروفة في المدينة المنوّرة. استقرّ أهلها في جدّة عندما كان عمر إكرام سنتين. اشترى والدها منزلاً في حيّ الرحاب، ومن وقتها لم يُغيّروا مسكنهم. صرنا ثلاثتنا لا نفترق في فسحة المدرسة، ونتبادل الزيارات في العطل الأسبوعيّة والصيفيّة.

كان لأسماء أخ يُدعى سيف. يكبرها بسنوات قليلة. شكله مختلف عنها تماماً. بالغ الوسامة، طويل القامة وعريض المنكبين، قمحي البشرة، عيناه بنيّتان، وشعره أسود كثيف. كان يشبه والده كثيراً. راقني مظهره كثيراً. مع مرور الوقت تعلّقت به. صرتُ أترقّب زياراتي لأسماء على أحرّ من الجمر كي أراه. لم تسنح لي الفرصة للانفراد به. كان يمرّ من أمامنا ونحن جلوس في الحديقة فيلقي علينا التحيّة ويمضي لشؤونه. قرّرتُ كتابة رسالة أبيّن له فيها حقيقة

مشاعري تجاهه، غافلتُ أسماء ودلفتُ إلى غرفته ودسستُ رسالتي في باطن واحدٍ من كتبه الجامعيّة. كتبتُ له فيها: «سيف، أعلم بأنّ الشاب هو من عليه المبادرة، لكنّني لم أعد أحتمل كتمان حبّي. أُفكّر فيك ليل نهار، ولا أخجل من القول إنّني أُحبّكَ بكلّ جوارحي. سأنتظر ردّك، وكلّي أمل أن تكون أنتَ أيضاً تُبادلني نفس المشاعر».

ترقّبتُ ردّه بقلب واجف. تخيّلت رسالة مدسوسة منه في واحد من كتبي كما فعلتُ معه، أو يهاتفني على رقم بيتنا ويقول لي مباشرة إنّه يُبادلني نفس الشعور. كلّ هذا لم يحدث. مرّ أسبوع وأسبوعان وثلاثة من دون أخبار تُذكر! لاحظتُ أنّ سيف صار يتعمّد الخروج مبكراً إذا علم بقدومي إلى بيتهم، ولا يرجع إلّا بعد رحيلي.

قرّرت أسرة أسماء السفر إلى شرم الشيخ لقضاء عيد الأضحى هناك. عرضت عليّ أسماء السفر معهم. وجدتها فرصة سانحة للاقتراب من سيف. رجوتُ أبي طويلاً أن يسمح لي بالسفر معهم. وافق بعد إلحاح، ورصّ لي قائمة من الوصايا والتحذيرات الواجب عليّ اتباعها. كانت المرّة الأولى التي أحمل فيها حقيبتي بمفردي بعيداً عن بيتنا.

نزلنا في فندق ماريوت القريب من خليج نعمة. حجز والد أسماء ثلاث غرف. واحدة له ولزوجته، والثانية لسيف، والثالثة لي ولأسماء. منذ لحظة وصولنا وأنا أحاول اقتناص فرصة لأختلي به. لاحظتُ استيقاظه مبكراً للسباحة. ارتديتُ في اليوم الثالث لوصولنا لباس بحر بلون التركواز اشتريته قبل سفري، وارتديتُ فوقه ثوباً قطنياً أبيض شفافاً. قلتُ لأسماء وهي لم تزل مستلقية في سريرها: «سأسبقك إلى الشاطئ». كان الطقس معتدلاً، والشمس مشرقة، والسماء صافية. بحثت عنه بعينيّ. لمحته من بعيد. كلّ خلجة في قلبي كانت تلهج باسمه. خلعتُ ثوبي وناديتُ عليه بأعلى صوتي.

سبح ناحيتي. كان مثيراً بجسده الذي يتقطّر ماءً، وبسرواله القصير الكاروه الممزوج باللونين الأبيض والأزرق والمبلّل بماء البحر. حدجني ببصره. أخذ يتأمّل النداء الأنثوي الصارخ المطل من عينيّ. زاغت عيناه على مجرى هضبتي. حاول التماسك. سألني:

– أين أسماء؟

أجبته:

– ستأتي بعد قليل.

ساد صمت بيننا. أرخى جفنيه. أخذ يتلهّى بنثر الرمال بقدمه. تجرّأتُ وسألته:

– هل قرأتَ رسالتي؟

أشاح بوجهه عني وانشغل بملاحقة أمواج البحر. كرّرتُ سؤالي بصوت أعلى. أجابني هذه المرّة بنبرة فيها شيء من الحدّة:

– لماذا تُصرّين على إحراجي؟ نعم قرأتها، لكن من الصعب أن أدخل في علاقة نتيجتها محسومة!

سألته بنبرة جزعة:

– ماذا تقصد؟

– اسمعي يا وجدان، أنتِ إنسانة رائعة، وأنا أحترمك جداً، لكنّ أهلي لن يُوافقوا على ارتباطي بك، وأنتِ تعرفين في قرارة نفسك الأسباب التي تدعوهم للرفض!

لم أكن أظنّ أنّه بهذه القسوة! شعرت لحظتها كأنّ الأرض تميد من تحت قدميّ. أيادٍ بأظافر طويلة تشدّني للأسفل وتُهيل عليّ رمال الشاطئ. أحسستُ كأنّ السماء فجأة أصبحت قاتمة، والشمس شديدة الحرارة، تُسلّط ضوءها على وجهي دون هوادة. هرعتُ من أمامه والدموع تنهمر مدراراً على وجنتيّ. مكثنا في شرم الشيخ عشرة أيّام. حاولتُ بكلّ ما أوتيتُ من قوّة أن أظلّ خلالها متماسكة.

كلّ ليلة كنتُ أذهب برفقة أسماء وسيف إلى مرقص Hard Rock. موسيقى صاخبة ورقص مجنون لكلّ من يرغب في مداواة جراحه. أتفادى طوال السهرة النظر إلى سيف. أراقص أيّ شاب يدعوني إلى مراقصته، إلى أن يُشارف الليل على الانتهاء. نهرتني أسماء حين طلبت زجاجة بيرة. أجبتها أنّني بحاجة لأن أنسى. تبادلت لحظتها النظرات مع سيف بدون أيّ تعليق! كانت المرّة الأولى التي أدلق فيها خمرة في جوفي. لم تُحاول استدراجي لمعرفة سبب حزني المفاجئ! تركتني أتجرّع صدمتي وحدي. أتذكّر عبارة سيف القاسية، فأبكي بصوت مكتوم. اكتشفتُ صدفة أنّ أسماء كانت على دراية بقصّتي مع أخيها منذ البداية. سمعتهما يتحدّثان بصوت خافت في شرفة غرفته في ليلتنا الأخيرة بشرم الشيخ. قرّرتُ أن أقطع علاقتي بأسماء وبكلّ من يمتّ إليها بصلة عند عودتنا. أصبحت علاقتنا فاترة. بالكاد نتحدّث في الصف أو في فسحة المدرسة، وانقطعت الزيارات بيننا. قبل نهاية العام الدراسي، تقدّم سيف لخطبة صديقتي إكرام. اتفقت الأسرتان على أن يتمّ الزفاف بعد تخرّج سيف من الجامعة. لم تدعُني أسماء ولا إكرام إلى حفل الخطوبة. سألني أبي متعجّباً عن سبب توقّف أسماء عن زيارتنا! فأجبته بحزن: «صفحة وطويتها من حياتي إلى الأبد». ظلّت نظرة الفضول تطلّ من عينيه كلّما عرّج على سيرتها. مع مرور الأيّام أضحت ذكراها صفحة باهتة إلى أن جرفها سيل النسيان.

هل كان جنون أمّي هو السبب في ابتعاد سيف عنّي، أم كانت تلك حجّة واهية كي لا يجرح أحاسيسي وكي لا أعرف بقصّة حبّه لإكرام؟ ماذا لو أنّ أسماء هي التي كانت تُحرّضه على الابتعاد عنّي، بعد أن فضحت أمام كلّ أفراد أسرتها مرض أمّي؟ كرهت أسماء لأنّها لم تحترم السرّ الذي ائتمنتها عليه، وكرهتُ إكرام لأنّها سرقت منّي

سيف. كنتُ كلّما لمحتهما في فسحة المدرسة أشيح بوجهي عنهما وأحسّ بثورة غضب عارمة تتأجّج بأعماقي.

جميعنا نحمل ذكريات متباينة في جعبتنا، منها ما نُهلّل لها حين نستعيدها في أذهاننا، ومنها ما نودّ أن ندوس عليها بأقدامنا حين تمرّ بخاطرنا. ظلّت تجربة سيف شديدة الوقع على نفسي. تمنّيتُ في وقت من الأوقات تذوّق طعم ريقه. ليالٍ طويلة تخيّلتُ نفسي نائمة في أحضانه. يُقال إنّ أحلى القبلات تلك التي لم نتذوّق طعمها، وأجمل اللحظات تلك التي لم نعشها، وأروع الأحلام تلك التي لم نُحقّقها بعد. ظللتُ مؤمنة بهذه الفرضيّات بعد فشل تجربتي الأولى مع سيف، إلى أن أثبتت لي الأيّام خطأها.

4

مع ولوجي إلى سنّ السادسة عشرة تزايدت وتيرة الكوابيس التي كانت تُلاحقني في صغري، كما ارتفعت حدّتها. صارت أكثر شراسة. بتُّ سريعة البكاء لأتفه الأسباب. لاحظ أبي اعتكافي في غرفتي معظم الوقت. حاول إخراجي من قوقعتي. كان يختلق الحجج لفتح أحاديث معي. يحثّني على مشاهدة المسلسلات والأفلام الكوميديّة. أستسلم لمحاولاته. أجلس بجانبه وعيناي مُحلّقتان صوب المجهول. كنتُ قد أنهيتُ للتوّ امتحانات الثانويّة العامّة. أتهيّأ للحفل المدرسي الكبير الذي ستقيمه المدرسة احتفاءً بتخرّج دفعتنا. بدأ ينتابني ضيق في التنفّس. أستيقظ فزعة بين حين وآخر على هالات دائريّة من الفراغ تُحيط بسريري، وأصوات حادّة تصرخ في أذنيّ. أحسّ بالكسل وبعجزي عن مغادرة مخدعي. أشعر بكره لذاتي وبأنّني فتاة منبوذة لا يرغب فيها أحد، وبأنّني وحيدة في هذه الدنيا. أستعيد مشاعر الأمس القريب وفصول حكايتي مع سيف. أحسّ بوخزات في صدري. كانت عوارض الكآبة قد سيطرت عليّ كليّاً منذ ما يُقارب الأسبوعين. أفقتُ صبيحة يوم حفل تخرّجي على أيدٍ تُطبق على عنقي. نهض أبي من فراشه على صوت صياحي. اتّجه صوب غرفتي. لاحظ محتويات

غرفتي مبعثرة وقد تحوّلت إلى قطع محطمة على الأرض. رآني أقف بجانب مرآتي المهشّمة، ممسكة خصلات شعري بقسوة، محاولة انتزاعها من مكانها. كانت كتلة من الهيجان تعتمل في أعماقي لا أعرف لها سبباً! بدني كلّه يرتجف من رأسي إلى أخمص قدميّ. ارتميتُ على صدره وأخذتُ أبكي بحرقة. صار يُهدّئ من روعي واغرورقت مآقيه بالدموع. أدرك أنّ أعراض مرض أمّي قد بدأت. اتّصل على الفور بطبيبها. مسافر ولن يعود قبل شهر، قالت له سكرتيرته. ارتأى عرضي فوراً على طبيب آخر. دلّوه على طبيب يعمل في مستشفى بخش الكائن في حيّ الشرفيّة. كانت المرّة الأولى التي أدلف فيها إلى عيادة طبيب نفسي. حدّقتُ فيه بعينيّ المضطربتين. يبدو في الخمسين من العمر، مصري الجنسيّة. طلب الطبيب من أبي الانتظار في الخارج. مدّدني على الأريكة. أخذ يُحفّزني بابتسامة مطمئنة على الكلام. وصفتُ له الأحاسيس المضطربة التي أعيشها. حكيت له عن طفولتي وعن الآلام النفسيّة التي تعرّضتُ لها نتيجة مرض أمّي، وعن محاولتها قتلي في صغري. كانت تفاصيل الكثير من مشاهد طفولتي حاضرة في ذهني، لكنّني لم أستطع تعرية زلّة أمّي أمامه. لساني لجم عن كشف ذلك المستور. سألته بنبرة متأسية: «دكتور، هل سأشفى، أم سأتحوّل مع مرور الوقت إلى نسخة ثانية من أمّي؟» ربّت على كتفي، قائلاً بنبرة واثقة: «عليكِ أن تُساعدي نفسك. الطبيب لا يملك عصاً سحريّة! سأكتب لك مبدئيّاً البروزاك وستشعرين معه بتحسّن». نادى بعدها على أبي. تحادث معه قليلاً وأوصاه بوجوب انتظامي على أخذ دوائي، والتزامه بإحضاري مرّتين في الأسبوع لمتابعة جلسات المعالجة النفسيّة إلى أن تتحسّن حالتي. مسكين أبي، كان يحمل همّ أمّي فأصبح ينوء بحمل همّين!

5

ظللتُ لسنوات أتهيّب المصير الذي آلت إليه أمّي، في النهاية سقطتُ في الثغرة التي حفرها لي قدري. آمنتُ لحظتها بأننا لن نستطيع، وإن أحكمنا سدّ الشقوق والثغرات في بيوتنا، صدّ هجمات القدر! هي مثل أشعّة الشمس الحارقة في وقت الظهيرة، قادرة على أن تتسلّل عبر شقوق نوافذنا ومن تحت أبوابنا، لنجدها واقفة عند رؤوسنا تراوغ جفوننا وتُلامس أعيننا التي لم يزل يُداعبها النعاس، قائلة لنا بنبرة ساخرة: «لن تستطيعوا الهرب منّي وإن كنتم في بروج مشيّدة!».

دخلتُ جامعة الملك عبد العزيز. كان حلم أبي أن أحصل على الشهادة الجامعيّة. شجّعني على التسجيل في قسم الأدب الإنجليزي. قضيتُ سنتي الأولى بين مدّ وجزر. دواء البروزاك لم يعد يُجدي معي، ضعفت الفائدة المرجوّة منه مع تزايد نوبات هوسي واكتئابي، فاصطحبني أبي إلى طبيبي. أخبره بوجوب تغيير الدواء واستبداله بدواء الليثيوم. توجّس أبي وأعلن اعتراضه عندما سمع باسم الدواء الذي تتعاطاه أمّي، والذي كان أبي على علم تامّ بآثاره. طمأنه الطبيب بأنّه سيكتب لي جرعة خفيفة، واقترح على أبي أن أمكث في المستشفى أسبوعين ليُتابع حالتي عن قرب. رفض أبي بشدّة، قائلاً:

«هل تُريدني أن أقضي على حياة ابنتي بيدي؟ من سيتقدّم لخطبتها إذا تسرّب خبر مرضها. اعذرني فأنا أب في النهاية». هزّ الطبيب رأسه أسفاً على قرار أبي وتقبّل الأمر على مضض. صارت أدويتي جزءاً لا يتجزّأ من حياتي. ساعدتني كثيراً على تقبّل مرضي. استطعت بفضلها الصمود. حاولت في الجامعة تكوين صداقات جديدة، لكنّني لم أنجح. ظلّت تقف جميعها عند حدود الزمالة. كانت الأعراض الجانبيّة التي تُحدثها أدويتي، تجعل زميلاتي حذرات منّي. أشعر بالإحراج عندما تُداهمني الأعراض الجانبيّة لأدويتي أثناء محاضراتي. أفقد لحظتها توازني، وأشعر باضطراب في مفاصلي، ويضعف تركيزي، ويُصبح لساني ثقيلاً ومخارج حروفي غير مفهومة.

تزايدت أعراض المرض عليّ في إحدى المحاضرات. بدأت أطرافي تهتز وأصابني الغثيان والرغبة في التقيّؤ. سقطتُ على الأرض مغشيّاً عليّ. حملوني إلى طوارئ مستشفى الجامعة، واتّصلوا بأبي على الفور. سأله الطبيب عن الأدوية التي أتناولها! أخبره أبي بأسمائها بما فيها دواء الليثيوم. أجرى الطبيب على الفور تحليل دم لي. كانت نسبة التسمّم قد ارتفعت في دمي. أعطاني الطبيب حقنة في الوريد كي يتخلّص من السم. قبعتُ في البيت أسبوعاً ثمّ عدتُ إلى الجامعة. كانت نظرات زميلاتي المطعّمة بالفضول والممزوجة بالريبة تؤلمني وتزيد من كمدي!

وأنا أتهيّأ للخروج من القاعة بعد انتهاء المحاضرة، اقتربت منّي فتاة اسمها سهى، معروفة بين الجميع بأنّها من أسرة بالغة الثراء. قالت لي:

– حزنتُ على ما جرى لكِ ذلك اليوم أثناء المحاضرة.

شكرتها على مشاعرها الرقيقة. قالت بجرأة:

– أنا أيضاً أعاني من مشاكل نفسيّة لكنّني لا أعبأ مثلك بما يُقال خلف ظهري. لا تسأليني كيف عرفتُ عن مرضك، فالطالبات هنا لا حديث لهنّ إلّا عنكِ.

ارتبكت. أكملت حديثها:

– هل لديكِ مانع أن نلتقي في منزلي؟ أنا أقيم بمفردي مع أبي وهو كثير الأسفار.

اتفقنا على أن نلتقي في عطلة نهاية الأسبوع. كان منزل أهلها كبيراً، تُحيط به حديقة واسعة. يقع البيت على الكورنيش قرب عمارة الفارسي السكنيّة. أرتني سهى جناح نومها. كان تقريباً بنصف مساحة بيتنا. لا أدري كيف تعيش فيه بمفردها! انتقلنا إلى غرفة المعيشة. كانت فخمة الأثاث. قادتني من يدي صوب خزانة واجهتها منحوتة بالرسوم الفرنسية القديمة. فتحتها على مصراعيها، فأصابني الذهول. كانت رفوفها تضم خموراً من الويسكي بمختلف أنواعه والنبيذ والبيرة. قالت لي بنظرة ماكرة:

– ماذا تُحبّين أن تشربي؟

أجبتها على الفور:

– أريد تجربة الويسكي.

قالت ضاحكة:

– سمعاً وطاعة.

صبّت لي كأساً وصبّت لنفسها كأساً. كانت المرة الثانية التي أشرب فيها خمراً بعد تجربتي الأولى في شرم الشيخ. دار الشراب برأسينا. دمعت عينا سهى، وقالت:

– وجدان، هل تُحبّين أباك؟

– بالطبع أحبّه، هو العالم بالنسبة إليّ.

فاجأتني بتعليقها:

– أنا أكره أبي، وأتمنّى كلّ لحظة موته.

سرحتُ في مصيبتي. كانت أوجاعنا واحدة وإن اختلفت أدوار الأبطال. تابعت كلامها:

– أنتِ محظوظة. أتعرفين؟! أصعب الأشياء على فتاة في مثل عمري، ألّا تجد قلباً دافئاً يتفانى من أجل إسعادها. ما فائدة المال إذا لم يجلب لنا السعادة؟! أنا على استعداد لأن أهدر كلّ قرش من مال أبي تحت قدمي رجل أرى في بؤبؤيْ عينيه لمعة الحبّ الصافي، المجرّد من أيّ أطماع.

انفرطت فجأة في البكاء. أخذت تقصّ عليّ حكايتها بالتفصيل. وصفت والدها بالفاسق الكبير. التقى بوالدتها التي كانت في عمر صغرى بناته في ليلة من لياليه الماجنة، التي كان يُقيمها مع أصحابه شهريّاً، في قصره الفاره البعيد المطلّ على البحر مباشرة. كانت يمنيّة الجنسيّة ويُقيم أهلها في جدّة منذ سنوات طويلة. لفت انتباهه قدّها الممشوق وطولها الفارع وشعرها الغجري الذي يصل إلى منتصف ظهرها. كانت مُهرة عربيّة أصيلة. رقصت مع رفيقاتها على الأغنية الشهيرة «يا منيتي، يا سلا خاطري». كانت تتمايل بقدّها الميّاس، وتخصّه بنظرات ملتهبة، وتبتسم له بغنج. سال لعابه. انتصب ذكره. هجم عليها وأخذ يعبُّ من نبع صباها. كانت قد فاقت، بأنوثتها الملتهبة ومهارتها الماجنة في الفراش، من مررن قبلها. رغب بشدة في الاحتفاظ بها. عقد عليها بورقة زواج عرفي. في تلك الليلة الشبقة التحمت بويضة أمّها بحيوانات أبيها، وجاءت سهى بعد تسعة أشهر بالتمام والكمال. ظلّت والدتها مع أبيها سنتين ثمّ ملّ منها، ومزّق الورقة أمامها. اشترط عليها مبلغاً ضخماً من المال مقابل أن تختفي

تماماً من حياة ابنتها. وافقت على مقايضة ابنتها بالمال، وسافرت مع أهلها إلى جهة لا يعلمها أحد لتبدأ حياة مغايرة نظيفة لنفسها ولهم.

حملها والدها وذهب بها إلى زوجته وأمّ أولاده الثمانية. رفضت هذه الأخيرة أن تُدخلها بيتها. قالت لأبيها بنبرة هازئة: «تحمّلتُ نزواتك، لكنّني لا أستطيع تحمّل رؤية ثمرة شهواتك تعيش معي تحت سقف بيتي. هذا المنزل ملك لي ولأبنائي».

هكذا، اشترى لها هذا البيت الشاسع المساحات، وجلب لها مربّية ووضع تحت إمرتها عدداً من الخادمات بجانب سائق خاص يُلبّي طلباتها. كانت سهى مضطربة نفسيّاً نتيجة الوحدة التي عاشتها منذ طفولتها، والغياب الدائم لوالدها وافتقادها لوالدتها. كانت تنفعل بسرعة، ولا تستطيع كبح جماح غضبها، حتى إنّ إدارة الجامعة لفتت مرّات عدّة نظرها إلى أسلوبها العنيف مع زميلاتها.

سرعان ما تقرّبنا أنا وسهى بعضنا من بعض. وضعنا أوجاعنا في بقجة واحدة. كنتُ أتحمّل حدّة طبعها واضطرابات نفسيتها، وكانت تتحمّل تقلّبات مزاجي. قصدتها يوماً عند الظهيرة دون سابق موعد بيننا. كنتُ واقعة تحت تأثير هوسي، وكانت طاقتي الجنسيّة في أوجها. وجدتها مستلقية على فراشها بقميص نومها. تمطّعت باسمة، ومدّت يدها إلى درج الكومدينو بجوارها، وأخرجت كيساً صغيراً يحتوي على بودرة بيضاء. سألتني: «هل جرّبت من قبل الكوكايين؟ إنّه يأخذكِ إلى دنيا لم تريها». وضعت القليل منه على ورقة لفّتها بمهارة واستنشقتها. ارتمت على ظهرها وطلبت منّي أن أفعل فعلتها. أخذتُ شهيقاً ودفعتُ بالبودرة لداخل فتحة أنفي. دارت بي الدنيا. استلقيتُ بجانبها. ذلك اليوم لم يكن عاديّاً. فقدنا السيطرة على جسدينا. بدأت كلّ منّا تُعرّي الأخرى بوحشية. تبادلنا القبل المحمومة. التصق جسدانا وشكّلا لوحة رائعة الجمال، يعجز أيّ

فنّان مهما بلغت مهارة ريشته أن يرسم ألوانها المتداخلة وخطوطها المتوهّجة. أُنهكنا. ارتمينا جثتين هامدتين على السرير. استيقظتُ عند العاشرة مساءً على رنين هاتفي النقّال. كان أبي على الخط يسألني بنبرة قلقة عن سبب تأخّري. نظرتُ إلى نفسي. كنتُ عارية تماماً وقد تبلّل ما بين فخذيّ بمائي. سهى نائمة بجانبي وعارية مثلي تماماً، وقد تناثرت ملابسنا على أرض الغرفة. رشقتها بطرف عيني. كانت تغطّ في نوم عميق. لملمتُ ملابسي وارتديتها على عجل. دخلتُ بعدها بأيّام قليلة في حالة اكتئاب أشدّ من سابقاتها. هرعتُ إلى طبيبي. قلتُ له وأنا أبكي:

– تمنّيتُ دوماً أن تكون أوّل قبلة أتذوّقها من شفتي رجل. أرجوك ساعدني. أفكّر جديّاً بأن أُنهي حياتي بيدي.

–اهدئي، أرجوكِ، ليس لك يد في ما جرى، لكن عديني أن تقطعي صلتك بهذه الفتاة نهائيّاً، إذا أردتِ أن يكون لك مستقبل. المخدِّرات والمسكرات والعلاقات المثليّة ستُوصلك إلى طريق مسدود. ألم تقولي لي إنّك تحلمين أن تلتقي برجل مثل أبيكِ؟! أنا واثق بأنّ هذا اليوم سيأتي.

وفيتُ بوعدي. قطعتُ صلتي بسهى. غيّرتُ رقم هاتفي النقّال. صرتُ أتجاهلها في قاعة المحاضرات. ترميني بنظرات تفيض حزناً وتجلس بعيداً عنّي. أحياناً تحضر ببالي، وأشتاق إلى جلساتنا وأحاديثنا، فأقاوم ذكراها بشدّة وأطردها بكلّ ما أوتيتُ من قوّة من خاطري.

في سنتي الثانية في الجامعة بدأت أثور على مرضي. توقفتُ في منتصف الفصل الدراسي الثاني كليّاً عن الدراسة. كان ذلك بسبب تفاقم حالتي. كنتُ أراجع فصولاً من كتاب طلبت منّا أستاذة المادة مراجعته لخوض امتحان تجريبي عليه. استغرقتُ في قراءة فصل واحد ساعات عدّة. أيقنتُ أنّني فقدتُ السيطرة على

فكري، وأنّني صرتُ أجد صعوبة بالغة في استيعاب دروسي، بجانب الأعراض الأخرى كالغثيان والقيء الذي يتبعه، وتصلّب أطرافي. كلّ هذه الأسباب دفعتني إلى إعلان العصيان على دوائي واتّباع نهج أمّي في الانقطاع عن أخذه. صرتُ عندما أنغمس في حالة هوسي، أفقد السيطرة كليّاً على أفعالي، وأقوم بتصرّفات مغايرة لشخصيتي. أضع مساحيق فاقعة على وجهي. ألبس عباءتي المصمّمة بدون أزرار أماميّة. أذهب إلى شارع التحلية. أتسكّع في مركز الخيّاط وأعرّج على سوق البساتين. أتعمّد رمي وشاحي من فوق رأسي، وفتح عباءتي لأظهر بنطلوني الجينز الضيّق الذي يُظهر رسمتي ساقيّ. ألقي بابتساماتي على الشباب المارّين بجواري. في كلّ مرّة أخرج فيها إلى السوق، آخذ رقماً من أحدهم. صرتُ عندما يفرغ مصروفي الشهري، أمدّ يدي إلى محفظة أبي لأشتري زجاجة ويسكي وأدسّها في قعر خزانتي. عندما يخلد أبي إلى النوم، أخرجها وأتناول منها كأسين أو ثلاثاً، وأنهمك في أحاديث ماجنة مع من رمى لي ذلك النهار برقم هاتفه، ونُمارس الجنس عبر أسلاك الهاتف حتّى ساعات الفجر الأولى. وعندما تُعاودني حالة الاكتئاب، ألوم نفسي على أفعالها، ولا أستطيع أن أرفع عينيّ في عينيْ أبي. أحسّ بأنّني سارقة، نكرة، وتُحاصرني كتلة من التساؤلات... لماذا أعيش؟ ما جدوى الحياة؟ تستيقظ كوابيسي الراقدة. أشعر بزهد في الدنيا وأتمنّى الموت. أعود إلى دوائي وجلساتي النفسيّة مع طبيبي. أستعيد توازني. تسري في شراييني بهجة الحياة من جديد.

قمتُ عند الفجر وكنتُ في ذروة اكتئابي. دخلتُ الحمّام وخلعتُ ملابسي. استغرقت فترة طويلة في الاستحمام. لم أتمكّن من إرغاء الشامبو بسهولة على شعري. سقطت إسفنجة التدليك من يدي مرّتين. جفّفت جسدي بصعوبة. ارتديتُ منامتي واتّجهت صوب

المطبخ. فتحتُ أحد أدرجه واستللتُ سكّيناً. حززتُ رسغ يدي. سقطتُ على الأرض سابحة في دمائي. لولا استيقاظ الخادمة ودخولها المطبخ بعدها بدقائق لكنتُ ميتة الآن. هرع بي أبي إلى المستشفى. ضمّدوا جراحي. هذه المرّة أصرّ الطبيب على حجزي في المستشفى. لم ينبس أبي ببنت شفة. امتقعت صفحة وجهه وارتسم الأسى في عينيه. تلك كانت من أصعب فترات حياتي. اضطرّ الطبيب لإخضاعي لجلسات كهربائية مرّتين أسبوعيّاً، بجانب جلسات العلاج النفسي. أعود بعد الجلسة الكهربائيّة إلى غرفتي وأنا لا أعرف ما الذي يدور حولي. زاد كُرهي لأمّي. لماذا أنجبتني؟ كي تُعذّبني في الحياة! كانت أمّي قد اشتدّ مرضها ووصلت إلى مرحلة من الصعب العودة منها، وأضحت تعيش في عالم رسمته داخل بؤرة عقلها الملوّث. خصّص لها أبي ممرّضة تحضر يوميّاً لرعاية شؤونها. لم يعد لأمّي وجود في البيت سوى ظلّها الباهت وصراخها الذي يهزّ جدران غرفتي من حين إلى آخر، وتوسّلاتها لأبي أن يُخرس الأصوات التي تسكن رأسها وتقضّ مضجعها. عادة استراق النظر لأمّي، توقّفتُ عنها منذ داهمتني نوبة جنوني الأولى. كان جمال أمّي قد بدأ يذوي مثل شمعة قاربت على الانتهاء، وهي لم تزل في كامل صلابة عودها. غارت عيناها الساحرتان، وخفّ شعرها الغزير، وبرزت ضلوع صدرها ونقص وزنها كثيراً. كنتُ أهرع إلى غرفتي وأبكي بحرقة عليها، متخيّلة ما سأؤول إليه يوماً!

6

هناك سرٌّ بيني وبين الله لم أفشه لأحد! كنتُ في صغري كلّما انتابت أمّي نوبة من نوبات جنونها، أختبئ في حجرتي وأظلّ مستيقظة حتّى الهزيع الأخير من الليل، فأفتح نافذتي وأبثّ شكواي، موقنة أنّ الله وحده سيسمع كتلة تذمّراتي، بعدما خلدت كافة الكائنات للنوم. أتطلّع إلى السماء وأخاطب ربّي بنبرة ساخطة: «إلى متى ستظلّ تُعاملني بهذه القسوة؟». نعم ظللتُ سنوات أنقم على الله وأتساءل عن السبب الذي أجاز لأقداره أن تسرق منّي طفولتي! لماذا تركها تقذفني مثل كرة لهب إلى أن تنفجر أحشائي بالفضاء وتتحوّل إلى أشلاء صغيرة؟ هل يتقصّد الله تعذيبي؟ قال لي أبي مرّة إنّ الله عندما يُحبُّ عبده، يسقيه من عذابات الدنيا كي يظفر بالجنّة. كنتُ أندهش من كلامه، وأتساءل، إذا كانت هذه غاية الله، فلمَ إذاً خلق لنا مباهج الدنيا؟ ألا يعرف أنّني أريد أن أستمتع بها قبل أن يأخذني إلى دار الآخرة؟ كلّ ما أطمح إليه، أن يكون ربّي عادلاً وألمس السعادة مثل أقراني. أن ألهو وأرقص وألعب ككلّ البنات.

كنتُ قد بلغتُ الرابعة والعشرين دون أن أظفر بحبيب أو زوج. قبعتُ في البيت أتجرّع آلامي في صمت. حاول أبي ثنيي عن

قراري وحثّي على العودة للجامعة. كنتُ مصرّة على موقفي. ذات ليلة وقفت كالعادة عند نافذتي. كانت الساعة تقترب من الثانية بعد منتصف الليل. كان مزاجي معتدلاً بعد نوبة من نوبات هوسي واكتئابي. نظرتُ صوب السماء. كانت هناك نجمة ساطعة. تخيّلتها تتطلّع إليّ ضاحكة. رجوتها أن تكون وسيطتي عند ربّي، وأن تخبره أنّني نادمة على أنّ ثقتي به تزعزت، وأنّني أرجوه أن يُعيد كتابة قدري من جديد. قلتُ لها إنّني لا أريد أن أكمل حياتي وحيدة، وإنّني أحلم بأن أغمض جفوني وأموت بين ذراعي رجل أحبّه. ليلتها نمت مرتاحة البال. حلمتُ بنجمتي تُضيء زوايا غرفتي وبصوت يُبشّرني بأنّ الله قد غفر لي تطاولي عليه، وسامحني على أفعالي واستجاب لدعائي. لم أتكّئ على حلمي. ظلّ القنوط من أنّني لن أحمل يوماً لقب سيّدة إلى أن يُوارى جثماني في القبر يُلازمني. قرّر الله على ما يبدو أن يسدّ ثغرة عذابي عندما ألقى في طريقي بيوسف الذي تبدّلت حياتي رأساً على عقب بزواجي به. تعرّفت إليه وأنا أتسوّق في مركز البساتين. شاب من عائلة معروفة. كان قد عاد للتوّ من الولايات المتحدة الأميركيّة بعد تخرّجه من إحدى جامعاتها هناك. يومها كانت تُسيطر عليّ نوبة من نوبات هوسي، متلازمة بحمّى شرهة لشراء ما يلزم وما لا يلزم. كان وشاح رأسي منحسراً عن شعري الذي ارتمى فوق عباءتي كالعادة. مظهري كان لافتاً بطبقة المساحيق الموضوعة على وجهي، ورسمة الآيلاينر العريضة المرسومة على جفنيّ العلويّين، ولون الأحمر القاني الذي صبغتُ به شفتيّ. رأيته يُحدّق فيّ باسماً، وأنا أسير مثقلة بأحمال مشترياتي. راقتني ابتسامته. سحرتني نظراته التي رماني بها. تمنيّتُ لو رأيتُ شعره المخبّأ تحت الشماغ والعقال. أشار لي برقم هاتفه. تعمّدتُ الوقوف عند أحد مصاطب الأكسسوارات. وقف بجانبي. دسّ الورقة المدوّن بها رقم هاتفه بباطن كفي. أطبقتُ عليها

بيدي. ليلتها تسامرنا على الهاتف قرابة ساعتين. أقفلتُ الخط قرابة الثالثة صباحاً.

خرجتُ مع يوسف قبل أن ينقضي أسبوع على تعارفنا. اقترح عليّ الذهاب إلى شاليه والده الكائن في كبائن الفال بأبحر. طمأنني بأنّ الكبائن في منتصف الأسبوع تكاد تكون شبه خالية. لحظة وصولنا خلعتُ حذائي وعدوتُ حافية صوب شاطئ البحر. أخذ يلاحقني. كانت رنّات ضحكاتي تمتزج مع هدير البحر فلا أعرف من يطغى منهما على الآخر. أمسكني وألقى بي على الرمال الدافئة. حسر الهواء ثوبي القطني للأعلى. لفّ ردفيّ العاريين بساقيه الطويلتين المشعرتين. أغمضتُ عينيّ. كانت حالة هوسي الجنسي تُسيطر عليّ مغموسة بشبق مسعور. أزاح خصلة شعري المنفلتة عن وجهي. أخذ يتأمّل صفحة وجهي بانبهار. بلّل سبابته بريقه ومسح بها على شفتي السفلى قائلاً: «أريدك أن تتذوّقي طعم ريقي. ريق الرجل والمرأة عندما يمتزجان، يبعث الله في قلبيهما الحب المخلّد». أخرجتُ لساني وأخذتُ ألعق رطوبة لعابه باستمتاع. كانت المرّة الأولى التي أتذوّق فيها قبلة من رجل غريب! ظللتُ إلى هذا العمر لا أعرف طعم قبلة رجل، أراها فقط في الأفلام وأتحرّق شوقاً لتجربتها. عندما انفرط شبقي، بركتُ فوق يوسف، ولففتُ ذراعيّ حول عنقه. حاول في البداية التملّص برفق من قبضتهما. تشبّثتُ به أكثر. خارت مقاومته وولج بداخلي من دون وعي. أحسستُ بالدماء الحارّة تتدفق من بين فخذيّ، فأفاق مذعوراً من غيبوبة شهوته. صاح قائلاً: «أقسم لك أنّني لم أخطّط لهذا الأمر». كانت حالة الهوس لم تزل تتملّكني. انزوى بركن من الشاليه وأطرق في التفكير. قمتُ من مكاني. أخذتُ دشّاً دافئاً. كنتُ أحلّقُ منتشية من فرط سعادتي كأنّ شيئاً لم يكن، وكأنّ عذريتي التي فقدتها قبل دقائق لا تعني لي شيئاً! طوال عودتنا كان

صامتاً، كأنّ لسانه أصابه فجأة داء الخرس! أوصلني إلى أحد مداخل سوق حراء الدولي، ومن هناك خرجتُ من مدخل آخر حيث كان سائق منزلنا ينتظرني.

7

انقلبت حياتي رأساً على عقب بعد لقائي الأوّل بيوسف. استيقظتُ صبيحة اليوم التالي مبكرة على غير عادتي. تقلّبت على فراشي. كانت حالة الكآبة قد فاجأتني بحدّة. لمتُ نفسي على تهوّرها. قرّعتها على فعلتها الشائنة. كيف سمحتُ لرجل لم ألتقِ به سوى مرّة واحدة، بأن يعبث بتضاريس جسدي وأن يُفقدني عذريتي؟ لماذا أداري وجه الحقيقة؟ يوسف لم يستغلّني، بل عليّ أن أقر بأنّ الذنب لم يكن ذنبه، وأنّ ما وقع بيننا كان بتشجيع منّي! أنا فتاة ساقطة، فشلتُ حتّى في أن أرسم لنفسي هدفاً في الحياة. من كانت مثلي تُنفى لمدينة مهجورة لا حياة فيها. استحضرتُ ملامح أسماء وإكرام بخاطري. طردتهما على الفور. قفزت صورة أمّي بذهني. أيقنتُ بأنّني قد أصبحتُ صورة طبق الأصل منها في عهرها وانفلاتها وانسياقها خلف شهواتها. أنكفأتُ على وجهي. بلّلتُ وسادتي بدموعي حتّى تقرّحت أجفاني.

كان يوسف لا يكفّ عن الاتصال بي. تجاهلتُ اتصالاته، تضرّعت إلى الله أن يُخلّصني من ملاحقته لي. بعد مرور أسبوع على لقائي به، استيقظت عند الفجر. قمتُ من سريري. بحثتُ عن موسى الحلاقة الذي أستخدمه في حلق شعر ساقيّ. قطعتُ رسغ يدي.

كانت المرّة الثانية التي أقدم فيها على محاولة الانتحار. كأنّ الله قرّر أنّ عمري لم يزل فيه بقيّة. هذه المرّة، جاءت نجاتي على يد أبي الذي اعتاد الاستيقاظ مبكراً لأداء صلاة الفجر. دخل حجرتي ليطمئن إليّ كعادته. وجدني ملقاة على الأرض مضرّجة بدمائي. لم أعرف ماذا حدث بعدها. أصرّ والدي أيّامها على أن أتلقّى علاجي في البيت وأن يأخذني أسبوعيّاً إلى طبيبي لحضور جلساتي النفسيّة. أصبحت فتاة مشوّشة الفكر، بائسة، ضائعة، لم تفلح في إكمال تعليمها، عالقة بين صخور جنونها، ووحيدة بلا أصدقاء!

بـدأتُ شيئاً فشيئاً أستعيد حياتي مع مداومتي على أخذ أدويتي بانتظام. عندما سمع يوسف صوتي بعد غياب شهر كامل، سألني بلهفة ممزوجة بعتاب، عن انقطاعي كلّ تلك الأسابيع وعن عدم ردّي على اتصالاته. قلتُ له:

– كلّ ما في الأمر أنّني تعرّضتُ لوعكة شديدة.

– وهل المرض منعكِ من أن تُرسلي لي رسالة تطمئنينني فيها إليكِ؟ أظنّ أنّ الأمر أكبر من مجرّد وعكة! وجدان، أعدكِ أنّك لن تتحمّلي وحدك الخطأ الذي وقع.

توالت لقاءاتنا. كان حبّه البلسم الشافي الذي داوى جروحي المتقيّحة. رآني مرّة ألاحق بنظرات ساهمة أمواج البحر، فسألني باسماً:

– من أخذك منّي؟

– يوسف، هل تؤمن بالحبّ؟

– بالتأكيد أؤمن به.

– أنا أحسُّ به في أعماقي، لكنّني لا أشمُّ رائحته ولا ألمح طيفه! أشكُّ دوماً بوجوده!

– كلّ شيء من حولنا يقوم على الحبّ. لولاه يا حبيبتي لأصبحت حياتنا مثل الأنهار التي لا تجد لها مصبّاً تُجدّد فيه مياهها.

أجمل أنواع الحبّ هو الذي يُفاجئكِ من حيث لا تدرين. إنّه معجزة من المعجزات الإلهيّة التي ليس لها تفسيرات منطقيّة.

– زمن المعجزات انتهى. نحن نعيش في عصر المشاعر اللحظيّة. حبّ اليوم مثل الواتساب، يفسح أمامك المجال لتتبادل مع الآخرين آخر المقولات العالمية والأخبار المشوّقة ثمّ تمسحها، لتستقبل أخباراً أخرى جديدة مشوّقة تُبهج بها يومك وهلمَّ جرّاً.

– نظرتك متشائمة. أنا أرى أنّ الحبّ هو الذي يجعلنا نبرّر لأنفسنا الكثير من الأفعال التي نجفل من خوضها. كيف تفسّرين وجودك معي؟ لولا مشاعرك الجارفة تجاهي لما تجاسرت وأتيتِ معي إلى هنا. أليس الحبّ هو الذي يستعبد قلوبنا؟ أنا لا أريد استباق الأحداث ولكنّني أجد نفسي منساقاً نحوكِ بجنون، أليس هذا كافياً ليؤكّد لك أنّكِ لستِ ورقة عابرة في حياتي؟ أنتِ معجزة عمري يا وجدان.

8

استمرّت علاقتي بيوسف عاماً كاملاً. زاد تعلّقنا بعضنا ببعض. لا يمرّ يوم بدون أن أسمع صوته، وأن يحكي لي تفاصيل يومه. أتذكّر ذلك النهار المشرق. كنّا في الشاليه حين أخرج من جيبه خاتماً يعلوه فصّ من الماس. ركع على ركبتيه كما يفعلون في الأفلام الأميركيّة. أمسك بيدي قائلاً: «وجدان، هل تقبلين الزواج بي؟». أصابني الوجوم وانخرطتُ في سيل من البكاء ممزوجاً بضحكاتي. طوّقتُ عنقه وغمرته بقبلاتي.

كان يوسف قد حصل على وظيفة مرموقة في إحدى الشركات الكبرى المتخصّصة في الاستيراد والتصدير. اتّفقنا على أن يُفاتح والديه بموضوع زواجنا. غاب يوسف أسبوعين بعد لقائنا الأخير. هاتفه الخلوي مغلق طوال الوقت. شيء خفيّ كان يجري لا أدري به! تُرى هل عرف شيئاً عن مرض أمّي؟ لماذا لم أصارحه منذ البداية، بدلاً من أن يسمع الأمر من غيري؟ أعرف أنّ يوسف يحبّني ومن المستحيل أن يتخلّى عنّي بهذه السهولة. خفق قلبي وأنا أرى اسمه ظاهراً على شاشة هاتفي. تواعدنا على اللقاء صبيحة اليوم التالي في مقهى ستاربكس. قال لي بنبرة عتاب:

– لماذا أخفيتِ عنّي مرض والدتك؟ هل صحيح ما قيل لي بأنّها مصابة بمرض عقلي؟

– هل كانت مشاعرك ستتغيّر من ناحيتي لو أخبرتك منذ البداية؟ لو كنتَ تحبّني بالفعل لما اختفيتَ عنّي كلّ هذه المدّة!

– كان يجب أن أنفرد بنفسي وأتّخذ قراري بعيداً عن أيّ تأثيرات، خاصّة أنّ أهلي كانوا في البداية رافضين لهذه الزيجة ونجحت في إقناعهم في النهاية. لقد التقيتُ بك لأخبرك بأنّني أحبّك بالفعل ومتمسّك بكِ.

شكرتُ الله في سرّي لأنّه كرّر أقدار أمّي معي. آه كم أتمنّى ألّا يُخيّب يوسف ظنّي، وأن يكون صورة طبق الأصل عن أبي في عطائه وتضحيته.

أقمنا حفل زواج مختصراً لم يحضره سوى أهله وأبي وعمّتي علويّة من جهتي. قرّرنا السفر إلى إيطاليا لقضاء أيّام العسل. حرصتُ على وضع أدويتي المضادّة للاكتئاب في حقيبة ملابسي. مررنا بداية سفرنا بروما. قضينا فيها عشرة أيّام. رمينا وسط نافورة الأماني نقوداً معدنيّة. تمنّيتُ في أعماقي وأنا ألقي بعملتي، ألّا يكفَّ يوسف عن حبّي. سألته: «ماذا تمنّيت؟» فأجابني من دون تردّد: «أن لا تغيبي لحظة عن عينيّ». رحلتنا الثانية كانت إلى فينيسيا. جميلة هذه المدينة. يرى الإنسان الحبّ مزروعاً في كلّ ركن فيها. ركبنا الجندول. وضعتُ رأسي على كتفه وأخذتُ أصغي لأنغام قلبي. طاف بنا الجندول بين مباني فينيسيا الأثرية وتحت جسورها القديمة. عند المساء، رقص بي يوسف وسط ساحة سان ماركو على وقع أنغام الفرقة الموسيقيّة التي تعزف في المكان. كانت السعادة باسطة ذراعيها على جدران فؤادي. كان يوسف حبّ عمري الحقيقيّ، غابت منذ عرفته ذكرى سيف عن خاطري. لحظتها تأكّدتُ من أنّ

وجع المشاعر العابرة لا يمحوه سوى حبّ يافع يجتاحنا من رأسنا إلى أخمص قدمينا.

كنتُ قد تعمّدتُ التوقّف عن تناول دوائـي ونحنُ نتأهّب للسفر إلى روما. لم أكن أريد أن يُصيبني برودٌ جنسيٌّ نتيجة تعاطيَّ الدواء. استشعرتُ بدء حالة الهوس ليلة وصولنا إلى فينيسيا. كانت لديّ رغبة مسعورة في ممارسة الجنس مع يوسف. لا أتركه إلّا حين يقول لي إنّه لم يعد يستطيع تقديم المزيد. كانت قد بدأت ترتسم في أرضيّة عينيه علامات استفهام ضخمة مخلوطة بهاجس شكّ! كنّا نتسكّع عند كنيسة سان ماركو التي تقع أمام الساحة، حين طلبتُ منه انتظاري في أحد المقاهي حتّى أفرغ من التبضّع. ناولني بطاقته الائتمانيّة وقال ممازحاً: «لا تنسي نفسك». اشتريتُ عدّة أكسسوارات على نفس الشكل بألوان مختلفة بألف يورو. اشتريت عدّة أحذية بجانب عدد من زجاجات العطر. حين وقفتُ أمام بائع المحل لشراء ثوب من ماركة جورجيو أرماني رفضت الماكينة عمليّة الشراء. حملتُ الأغراض وعدتُ إلى يوسف. أخبرته بأنّ الماكينة رفضت عملية الشراء الأخيرة. فغر فاه. ألقى نظرة على الحاجيات التي ابتعتها. صرخ في وجهي قائلاً: «هل تُوجد إنسانة عاقلة تتصرّف مثل هذا التصرّف؟ هذه أفعال امرأة مجنونة». صرخت في وجهه: «لا تقل لي هذه الكلمة مرّة أخرى». حاول الاقتراب منّي ليلتها. أعطيته ظهري. تنبّهتُ على يديه تهزّانني. سألني: «ما بك؟ كنتِ تصرخين وأنتِ نائمة. هل انتابك كابوس؟» انفجرتُ في البكاء. أخذني في حضنه قائلاً: «آسف حبيبتي إن كنتُ قد جرحت مشاعرك». صبيحة اليوم التالي اتّصل بوالده، وطلب منه تحويل مبلغ من المال لحسابه. عدتُ من حينها مجبرة إلى أدويتي. كانت لديّ رغبة ملحّة في ألّا أحوّل حياة الرجل الذي أحبّه إلى جحيم.

تكرّر في مناماتي مشهد أمّي وعمّي محمود وهما عاريان. أستيقظ فزعة والعرق يتصبّب منّي. سألتُ يوسف بعد أن أصبح هذا الأمر يُفزعني ويُؤرّق ليلي: «هل للخيانة طعم ورائحة مثل كلّ الأشياء، أم هي كالماء نتلذّذ بطعمه ويروي عطشنا دون أن نعرف ماهيّة خصائصه؟». تأمّلني لحظتها هنيهة، وقال بابتسامة مضيئة: «اطمئنّي، لا أفكّر بخيانتك، ولو أصبح عمرك مئة سنة. سأستطعم شيخوختك كما أستحلي حلاوة شبابك. الخيانة لا مكان لها في عرفي». بلعتُ ريقي وشردت في ذهني بعيداً.

بدأت تُعاودني حالة الغثيان والقيء وعدم القدرة على التركيز، مع انتظامي على أخذ الليثيوم وأدوية الاكتئاب الأخرى. أكون مندمجة مع يوسف في حديث معيّن، ثمّ أنتقل فجأة بدون مقدّمات إلى موضوع آخر. كان قد مرَّ شهران على زواجنا حين أصابني من جديد التسمّم في الدم من جرّاء تناول الليثيوم. أخذني على الفور إلى قسم طوارئ المستشفى السعودي الألماني. سألني الطبيب إن كنتُ أتناول أيّ نوع من الأدوية المضادّة للاكتئاب. صارحته بكلّ شيء. كان يوسف يقف بجانبي، ممسكاً بيدي، والقلق بادٍ على ملامحه. بعد أخذي المحلول المبطل للتسمّم عدنا إلى البيت. سألني بنبرة لا تخلو من اللوم: «لماذا أخفيتِ عنّي إصابتك بمرض أمّك؟ أنتِ تعلمين مدى حبّي لك وقد أيقنتُ منذ البداية بأنّني مُقدم على قرار عليَّ تحمّل كافّة تبعاته». رميت نفسي على صدره. أخبرته وأنا أبكي أنّني كنتُ خائفة من فقدانه.

تلاشى غضبه تدريجاً. بعد هذه الواقعة بأسبوعين، ذهبنا إلى طبيب نفسي مشهور في مستشفى سليمان فقيه لاستشارته في قرار حملي! أخبرنا الطبيب بأنّ الأدوية لا تمنع حملي، ولكنّ الخطر يكمن في إمكانيّة أن يحمل طفلنا جيناتي الوراثيّة. نصحنا بوجوب صرف

النظر عن فكرة الإنجاب في الوقت الحالي إلى أن أتعافى كليّاً. خرجنا من عيادة الطبيب تملأنا الحيرة. ربّت يوسف يدي ونحن في السيّارة وقال: «لن أتخلّى عنك مهما جرى. هذا قدرنا وأنا راضٍ به».

9

لم تكن هذه الحياة التي أردتُ أن أحياها مع يوسف. كنتُ أحلم بأن تكون حياتي ورديّة معه. خدعتُ نفسي، ظننتُ أنّه سيكون صورة طبق الأصل عن أبي في تفانيه من أجل أمّي، حبّ عمره. توقّعاتي في يوسف خابت. تدهور نفسيتي دفعني إلى الاستسلام لمرضي. هجرتُ أدويتي. آثارها الجانبيّة كانت تُدمّر جسدي، وتحول بيني وبين القيام بمسؤوليّاتي المنزليّة والزوجيّة. سقطتُ من جديد في بؤرة هوسي واكتئابي. لم يصمد يوسف طويلاً أمام زوابع تقلّباتي. بدأت مقاومته تضعف بعد ثمانية أشهر فقط من زواجنا. صار يتحاشى الخروج معي. يرفض استقبال أصدقائه مع زوجاتهم في بيتنا. يتعمّد البقاء في مقرّ عمله كلّ يوم حتّى ساعة متأخّرة، بحجّة أنّ لديه أشغالاً متراكمة. أدركتُ بحاسّة الأنثى أنّ معين الحبّ قد بدأ ينضب بداخله، وأنّ من المستحيل الاستمرار في حفر بئر جفَّ قاعه.

قرّرتُ أن أرحل قبل أن يقرّر يوسف الاختفاء من حياتي. أردتُ تضميد جراحي بعيداً عن ناظريه. لملمتُ أغراضي وحشرتها جميعاً داخل حقائبي ووضعتها عند مدخل الصالة مثل الجثث الباردة التي تنتظر من يدفنها داخل قبورها قبل أن تتعفّن وتفوح رائحتها. جلستُ

أترقّب حضوره في غرفة الجلوس قرب ضوء المنضدة الخافت. عندما سمعتُ مفتاحه يدور في ثقب الباب، تحرّك فيَّ الفضول لأرى ردّة فعله. صعقه المشهد. تقلّصت عضلات وجهه. اتّجه صوبي ووقف قبالتي:

– أعطيني تفسيراً لما يجري!

– يوسف، لا تُحاول أن تُداري مشاعرك. كلانا يعرف أنّنا وصلنا إلى مفترق طرق!

أطرق برأسه قائلاً:

– من الممكن أن نتجاوز محنتنا ونعود كسابق عهدنا.

– لو كنتُ أرى في الأفق ما يُبشّر بإمكانيّة العودة إلى البداية لما تردّدتُ لحظة. لقد أصبحتُ عالة على قلبك.

– لا أعرف ماذا أقول لك! لكنّني فعلاً بدأتُ أفقد قدرتي على التحمّل. سامحيني فأنا إنسان في النهاية.

– أنا لستُ عاتبة عليك، فمن الصعب أن نبقي أرواحنا حبيسة أفعالنا التي أقدمنا عليها بطيب خاطر في وقت من الأوقات.

بلعتُ ريقي وتابعت كلامي:

– يوسف، دعني أبيتُ الليلة في أحضانك، واعتبرها ليلة وداع.

ضمّني إليه بحنوّ. كان يوسف سخيّاً معي تلك الليلة. ذكّرني عطاؤه بأيّام زواجنا الأولى، كأنّه كان يُريد التكفير عن معصيته التي لم يكن له يد فيها. تمّ كلّ شيء بلمحة بصر. عدتُ إلى بيت أبي أجترُّ أحزاني، وأبتلع خيباتي، وألوم أمّي من جديد، فهي من جاءت بي إلى الدنيا وأوصلتني إلى ما أنا فيه. عدتُ إلى نقطة الصفر مع إضافة كلمة «مطلّقة» في خانة هويّتي، واعتيادي من جديد على قيامي من نومي فزعة على صراخ أمّي يشقُّ سكون الليل. ذلك الصراخ الذي كنت قد ارتحتُ من سماعه شهوراً عدّة.

***

كنتُ قد استمعتُ صدفة وأنا أقلّب قنوات التلفاز إلى حديث أحد الأطباء النفسانيّين عن المرضى الذين يُعانون من نوبات الهوس والاكتئاب. سرت قشعريرة في بدني عندما قال إنّ الطبيب في الماضي كان يجري عمليّة جراحيّة فصيّة (lobotomy) للمريض بإحداث ثقب في جمجمته بمعول الثلج الحاد، قبل أن يدقّ المعول داخل تجويف عينه إلى أن يُثبّت الجمجمة ويفصل الفصّ الجبهي الأمامي عن بقيّة أجزاء المخّ. حمدتُ ربّي لأنّني لم أولد في ذلك العصر القاسي الذي لم يكن يرحم المرضى ممّن هم على شاكلتنا!

أحياناً كثيرة نخضع مجبرين لقرارات لا بدّ لنا من اتّخاذها لمصلحة من نحبّهم. عندما نهضتُ صبيحة اليوم التالي على صقيع مخدعي وأدركت أنّني نمتُ وحيدة في فراشي من دون أن تتعلّق ذراعي برقبة يوسف، شعرتُ بالفزع. بقيت ليوسف مكانة كبيرة في قلبي وظللت أستعيد ذكرى أيّامنا كلّما خلوت لنفسي.

في الأيّام اللاحقة دخلتُ في حالة اكتئاب شديدة رافضةً أخذ أدويتي. كان أبي يُراقب تصرّفاتي تحسّباً لأيّ فعل مباغت قد أقدم عليه. وكانت المرّة الثالثة التي أحاول فيها الانتحار. هذه المرّة، تجرّعت كمّية كبيرة من حبوب Lexotanil. دخل أبي كعادته إلى غرفتي للاطمئنان إليّ، فوجد رأسي مائلاً على حافة السرير والزبد يسيل من طرف فمي. أنقذ أبي حياتي كما أنقذها في المرّتين السابقتين، ونقلني إلى مستشفى سليمان فقيه. أصرّ الطبيب النفسي على وجوب متابعة حالتي عن قرب، إلى أن أتجاوز حالة الاكتئاب الشديدة التي ألمّت بي. كذلك، استأذن أبي بوجوب إخضاعي لستّ جلسات كهربائيّة إضافة إلى جلسات المعالجة النفسيّة (psychotherapy) مرّتين في الأسبوع على الأقلّ.

عند أوّل جلسة لي، سألني طبيبي:

– لماذا ترفضين أخذ العلاج؟

– لقد أصبحتُ أكره مرضي، ودوائي، وكلّ ما أتمنّاه الآن هو أن أموت. لا أعرف لماذا يكرهني الله إلى هذا الحدّ!

– استغفري ربّك يا وجدان. أتعلمين أنّ أعظم مبدعي العالم من أدباء وفنّانين وموسيقيين عانوا من أمراض جينيّة وراثيّة؟! لقد أصيبوا مثلك بمرض ذهان الهوس والاكتئاب، لكنّهم واجهوا واقعهم بضراوة. هل سمعتِ عن الموسيقار الألماني العظيم بيتهوفن الذي ما زالت مقطوعاته الموسيقيّة تعيش بيننا حتّى الآن؟ لقد أُصيب بالصمم في الثلاثينيات من عمره وتعرّض لحالات اكتئاب شديدة لكنّه لم يستسلم وظلَّ يُقدّم روائعه حتّى وفاته. إذاً لمَ كلّ هذا اليأس؟ مشكلتك أنّك ترفضين التمسّك بشرعيّة بقائك. يجب أن تُدركي أنّنا جميعاً تربض بذرة جنون داخل عقولنا وإن كانت بنسب متفاوتة، لكنّ الفرق بين شخص وآخر هو صموده في مواجهة انتكاساته ونجاحه في عقد صفقة رابحة مع نفسه.

– كلامك يبعثُ فيَّ الأمل، ولكن أريدكَ أن تكون صريحاً معي... هل تعتقد أنّني سأشفى؟ الشخص الذي أحببته تركني ومضى ولم يلتفت حتّى إلى قيمة مشاعري الصادقة تجاهه. الحياة لا قيمة لها بدون أناس من حولك يحبّونك ويخافون عليك.

– هناك أناس واظبوا على علاجهم وعلى أخذ أدويتهم بانتظام ويعيشون حياة طبيعيّة اليوم. أمّا بالنسبة للحبّ، فهل تعتقدين أنّ كلّ البشر قادرون على تطبيق مبادئ الحبّ؟! يزور عيادتي يوميّاً أناس عاديّون، ويعترفون لي بأنّهم فشلوا في حلّ شفرة الحبّ. أنا واثق بأنّ هناك من يُحبّك ويخاف عليكِ، لكنّك مشغولة عنهم بجلد ذاتك

والنحيب على نفسك! أقربهم أبوك الذي كاد قلبه ينخلع من بين ضلوعه خوفاً عليكِ.

– وماذا عن الحبّ الآخر؟ حبّ الرجل الرفيق والحبيب؟ لقد صدّقتُ يوماً أنّ الله قد فتح باب سعدي على يدي زوجي، لكنّه عاد وأغلقه في وجهي كأنّه رغب في أن يتسلّى بعذاباتي!

– لماذا كلّ هذا اليأس؟ الله رحيم بعباده. مُخطئة أنت لو اعتقدتِ أنّ الفرحة تطلُّ من نافذة واحدة. السعادة لها نوافذ وأبواب كثيرة، ربّما وأنتِ نائمة يتسلّل تحت شقٍّ بابك سيل من السعادة وأنت تغطّين في النوم، وتستيقظين على هذه الهبة الربّانيّة. عديني بأن تُصبحي امرأة مختلفة وتُواظبي على تناول أدويتك.

بعد أسابيع قليلة رجعتُ إلى البيت وبدأ بصيص من الأمل يُنير جنبات فؤادي من جديد، وعدتُ إلى مناجاة النجوم في ليل الدجى، باحثة بنظراتي عن نجمة شاردة تكون وسيطي إلى الله من جديد. وطال انتظاري حتّى ظننتُ أنّ ربّي في زحمة انشغالاته بأمور البشر طوى صفحة سعدي للأبد.

10

كان قد مرَّ أكثر من عام على طلاقي من يوسف. ظللتُ أتابع أخباره من بعيد. أتلصّص على صفحته على الفايسبوك، وأتأمّل صوره كلّما هزّني الشوق إليه. علمتُ أنّه تزوّج بعد ستة أشهر فقط من طلاقنا. لا أعرف لماذا توهّمت أنّه سيعزف عن الزواج! دوماً ظنوني تخيب تجاه الأشخاص الذين تتعلّق بهم جوارحي. أصبح لدى يوسف طفلة جميلة، وضع صورتها على صفحته والفرحة تقفز من عينيه وهو يحملها بين ذراعيه. اعتصر فؤادي كمداً. تمنّيتُ لو كانت ابنتي. كنتُ قد أتممتُ عامي السادس والعشرين، وجرثومة جنوني تكبر معي. تعرّفتُ في تلك الفترة إلى فتاة مصرية تُدعى مروى، يعمل أبوها في السعودية معلماً منذ أكثر من عشرين عاماً في إحدى المدارس الخاصة. تقابلنا صدفة في مستشفى غسّان فرعون عند عيادة طبيبة الأسنان. كانت تنتظر دورها لتنظيف أسنانها وكنتُ أنتظر دوري للدخول. أخذنا الحديث حول مواضيع شتى. تبادلنا أرقام هواتفنا. كانت خفيفة الظل، طيّبة القلب، شفّافة الروح. قالت لي مرّة: «أعتبر جدّة موطني الأصلي، فأنا أتيتُ إلى هذه المدينة وعمري خمسة أعوام وكلّ ذكريات طفولتي هنا. أذهب مع أهلي إلى القاهرة كسائحة وأعود إلى جدّة وقد غمرني

الشوق إليها. تعوّدتُ على رطوبة جوّها وأحبّ شواطئها. هنا أحسّ بالأمان والدفء. لا أتصوّر نفسي أعيش في مدينة غيرها». كانت مروى تصغرني بعامين. نشأت بيننا صداقة سريعة. عرضت عليَّ السفر مع أسرتها لقضاء عطلة عيد الأضحى في شرم الشيخ. سألتني إن كنتُ زرتها من قبل! خطر سيف لحظتها على بالي وتذكّرت رحلتي الأولى إلى هناك. تحمّستُ للأمر. أردتُ استعادة صور الماضي، ربّما لأمحو بها آثار تلك الذكرى الأليمة. لم يعترض أبي. رآها فرصة طيبّة كي أُغيّر جوّ المكان، خاصّة أنّني لم أسافر منذ طلاقي خارج السعوديّة. كان الطقس لا بأس به. خليج نعمة يزدحم بجنسيّات مختلفة. قالت لي مروى: «سآخذك الليلة إلى مكان ساحر افتُتح في خليج نعمة، اسمه Pacha Sharm El Sheikh». ذهبنا إلى هناك حوالى الساعة الثانية عشرة. كان المكان بالفعل رائعاً، يغصُّ بأناس من مختلف الأعمار، وإن كانت الأغلبية لا تتجاوز الثلاثين. كنتُ أراقب المشهد مأخوذة بكلّ ما يدور حولي كأنّني خارج مصر. أخذنا نتجوّل في أرجاء المكان. على الجهة اليمنى مسبح غير مسموح بالنزول فيه إلّا بالبكيني للفتيات وبلباس البحر الذي يصل لحدّ الركبة للشبّان. وعلى الجهة اليسرى ثلاثة بارات تتوسّطها ساحة الرقص، والحضور منسجمون مع أغاني الدي. جي. ومنهمكون في متابعة العرض الذي تقدّمه الفتيات وهنَّ يهبطنَ شبه عاريات من السقف بحبال معقودة على خصورهنّ، فيبدو عرضهنّ أشبه بعروض السيرك التي كنتُ أتابعها أحياناً على القنوات الفضائيّة.

صبيحة اليوم التالي، وأنا متمدّدة على المرتبة الخشبية ومنهمكة في تصفّح مجلّة، وصل إلى سمعي صوت رخو يقول لي بجرأة لم أعهدها: «تسمحيلي أقْعُد؟». لم ينتظر الإجابة، سحب الكرسيّ الخشبي الآخر الموجود بجواري وجلس. ابتسمت قائلة:

«كيف أسمحلك وإنتَ قِيِيدَكْ جلست خلاص!»". لهجته وملامحه دلّت على أنّه مصريّ الجنسيّة. كانت ملامحه جذّابة. حليق اللحية والشارب. أميل إلى الطول. أسمر البشرة. بدا لي في حوالى الثلاثين. عاد إلى سؤالي:

– إنتِ منين؟ واضح من لهجتك أنّكِ سعوديّة.

– إيوه، وأنتَ واضح من كلامك أنَّك مصري.

– اسمي أشرف.

– وجدان.

– عاشت الأسامي يا ستّ وجدان. اسم جميل مليان رومانسية.

ابتسمت. عاد إلى متابعة كلامه:

– تقبلي عزومتي على العشاء؟

– كده طوّالي؟!

ضحك قائلاً:

– خير البرّ عاجله.

وافقت بدون تردّد. شدّني أشرف إليه من الوهلة الأولى. كان جريئاً صاخباً. يبدو على عكس يوسف الهادئ بطبعه. أخبرني أنّه يهوى المغامرة، ومُغرم بالسفر والتنقّل. كلّ ما فيه يُوحي بحبّه للحياة، والأهمّ من كلّ هذا رضاه الكامل عن نفسه. حسدته على هذه النعمة التي كانت تفوح من نبرة صوته ومن نظرة عينيه الثاقبتين. كانت أمسية رائعة. أخذني إلى مطعم جميل على شاطئ البحر. كانت أغاني نانسي عجرم وشيرين عبد الوهّاب وعمرو دياب تصدح في أرجاء المكان. سألني: «تعرفي ترقصي شرقي؟». أجبته بالنفي. سحبني من يدي، وقال: «تعالي، حعلّمك إزاي ترقصي». جعلني أهزُّ وسطي وصوت ضحكاتي يتبعثر في الفضاء. ظننتُ لحظتها أنّ الله قد شرّع لي على استحياء نوافذ الأمل من جديد. سرنا ليلتها على الرمال

وهدير البحر يُدغدغ أعماقي. لم يكفّ عن التحدّث عن نفسه طوال الطريق، وعن المدن التي زارها. أخبرني أنّه يُريد الاستمتاع بحياته لأقصى درجة قبل أن يُقدم على الزواج وتكبّله مسؤوليّات البيت والأطفال. توقّف فجأة عن الحديث واستغرق في الضحك. عندما سألته عن سبب هذا الكمّ من الضحكات! أجابني بأنّه لا يُوجد على ظهر الأرض رجل يظلّ يُحبّ زوجته بعد مرور عقد على زواجهما، ولكنّه شرّ لا بدَّ منه. لم أعلّق. كنتُ قد حلّقتُ أنا الأخرى في فضاء الماضي مع يوسف. لاحظ شرود فكري. استشعر بحدسه رغبتي في الانفراد بنفسي. أوصلني إلى فندق ماريوت الذي كنتُ أقيم فيه وذهب إلى فندقه، واتفقنا على أن نلتقي في اليوم التالي عند الشاطئ للسباحة.

تقابلنا صبيحة اليوم التالي. رأيته يخترق جسدي بنظراته الناريّة، مُطلقاً صفير إعجاب، قائلاً: «جسمك يهوس، والمايوه الأسود عليكي يجنّن، حياكل من جسمك حتّه». سبحنا حتّى وصلنا إلى عمق البحر. توقفنا كي نلتقط أنفاسنا. سألني فجأة:

– جرّبتي تمارسي الجنس في الميّه؟

تخضّب وجهي حياءً وقلت:

– أنتَ جريء أكثر من اللازم!

– ليه، علشان باتعامل معاكي على طبيعتي!

– ليس مفروضاً علينا تعرية كلّ ما نشعر به ولو أمام أنفسنا. أحياناً الغموض الذي يُغلّف مشاعرنا هو الذي يُعطيها مذاقاً مختلفاً. عموماً سأجيب عن سؤالك. نعم سبق لي أن جرّبت هذا الأمر مع زوجي عندما كنّا في رحلة إلى أثينا وقمنا أيّامها برحلة بحريّة إلى جزيرة ميكونوس حيث أغرانا بحرها الصافي والموج المتمرّد في خوض تلك التجربة المثيرة، وليس عندي نيّة لإعادتها.

– إنتِ ليه مصرّة تعملي حاجز بيني وبينك؟ جرّبيه معايا دلوقتي ومش حتندمي.

ثمّ غمز بعينيه متابعاً:

– الحرام له طعم مختلف!

لا أعلم لماذا خطر على بالي أن أوجّه له نفس السؤال الذي طرحته ذات يوم على يوسف:

– ما رأيك في الحبّ؟

أخذ يُغنّي: «قولّلي يا عالم بالأشواق، الحبّ حلو والّا حرّاق؟ الحبّ حلاوته بالقنطار يدوقوا منّه كبار وصغار»، ثم أردف:

– الحب يا قمر ده قصّه كبيره، وياما رجّاله وستات وقعوا فيه وما حدّش سمّى عليهم. بس في النهاية أنا باعتبر الحب معجزة من معجزات ربّنا.

تذكّرت عبارة يوسف التي قالها لي عن الحبّ ومعجزاته، فشعرت بساقيَّ تتصلّبان وبدأتُ أفقد توازني وسط الماء. أمسك بي. أحاط خصري بذراعه قائلاً: «أنا قلت حاجه زعّلتك؟! الظاهر أنّي دست من غير ما قصد على جرح قديم. عموماً يا ستي أنا آسف».

بعد ذلك النهار، صرتُ أتحاشى محادثته. شعر بأنّه لم يعد مرغوباً فيه فاحترم رغبتي وابتعد. تمنّيتُ لو وجدت هذه المشاعر العابرة فرصة حقيقيّة كي تنضج وتطرح ثمارها.

مضت بي الأيّام والشهور ولا طارق يدقُّ على بابي، أو بشرى سارّة ينقرها طائر غريب، مثل الذي كنتُ أستيقظ عليه عند نافذتي في تلك القرية الفرنسيّة ذات الطبيعة الخلّابة. لم يعد يُصبّرني على أوجاعي سوى جرعات الحنان والحبّ التي كان يُغدقها أبي عليَّ ورعايته الدائمة لي، وذخيرة من الذكريات، ومشاهد ساحرة من قصّتي مع يوسف، ولمحات خاطفة من نزوتي مع سهى. تُرى ماذا

فعلت بها الأيّام، وهل رضيت عنها الدنيا أم ما زالت على حالها؟!
التقيتُ صدفة بزميلة قديمة من أيّام الجامعة في صالون التجميل، وانعطف بنا الحديث نحو سهى، أخبرتني بأنّها تقبع في مستشفى الأمـراض النفسيّة في الطائف منذ ثلاث سنوات مضت، بعد أن أطلقت على أبيها خمس رصاصات من مسدّسه الذي أخذته خلسة من درج مكتبه، فأردته قتيلاً وهو نائم. حزنتُ على المصير الذي آلت إليه سهى، وتذكّرت عبارتها التي قالتها لي يوماً: «أحياناً يا وجدان، أتمنّى لو أقلع عينيْ أبي من محجريهما. نظراته تُعذّبني، لا تكفّان عن القول مراراً وتكراراً إنّني ابنة ساقطة وخُلقت من رحم عاهرة. نسي أنّه كان أكبر فاسق حين استغلّ ظروف فقر أمّي ليلهو بأنوثتها ويستبيح جسدها، لكن كما أنّ في الحبس أبرياء، هناك تحت أسقف البيوت فتيات ظلمهنّ آباؤهنّ وأمّهاتهنّ مثلي ومثلك».

شمس وقمر

1

كانت أمّي بالنسبة إلى أبي كالشمس الساطعة التي تُلاحق أيّ غيمة قاتمة تُحاول ممارسة حيلها الفطريّة لتحجب سعادته. وكان أبي بالنسبة إلى أمّي مثل القمر الذي ظلَّ يُضيء ظلمة ليلها الطويل إلى أن فارقتنا إلى الدار الآخرة. ثقل المرض على أمّي في سنواتها الأخيرة بعد أن حصلت قطيعة أبديّة بينها وبين أدويتها. ماتت قبل أن تُكمل عامها السادس والأربعين. الغريب أنّها لم تمت منتحرة كما كان الكلّ يتهامسون عن نهايتها المتوقّعة، بل ماتت وهي تُجري عمليّة في شرايين قلبها، الذي تعب من انهيال ضربات الحياة على جدرانه طوال الوقت. قرّرت أمّي أن تموت صامتة تحت مشرط الطبيب كي تُريح الجميع من ترتيب كلمات لوداعها. انخرط أبي في نحيب مكتوم حين أعلمه الطبيب بوفاتها. كنتُ واقفة بجواره. انكفأ على جسدها الذي لم يزل دافئاً، وأخذ يبكي كطفل يتيم لم يعد له ملاذ في الدنيا. تنبّه إلى وجودي، فضمّني إلى حضنه قائلاً بصوت مثقل بالأحزان، والدموع تُبلّل صدغيه: «أمّك ماتت يا وجدان. خلاص راحت وسابتنا».

لا أعرف كيف كان سيبدو شكل أمّي لو منحها الله عمراً مديداً. هل كانت ستظلّ محتفظة بجمالها الفتّان، أم سيمرّ قطار السنين على

شبابها ويفتك بأنوثتها دون رحمة؟ وفاة أمّي لم تكن صاخبة مثل حياتها! مضت دون أن تُحدث ضوضاء حولها. العزاء كان شبه خالٍ لم يحضره سوى عدد قليل من أقاربنا ومعارفنا. ناداني أبي بعد أن تمَّ غسل أمّي. طلب منّي أن أودّعها قبل أن تذهب إلى مثواها الأخير. دخلتُ بمفردي، أقدّم رجلاً وأؤخّر أخرى. وأنا واقفة أمام جثمانها الملفوف بالكفن الأبيض، سرت برودة شديدة في شراييني، كأنّ أمّي طوال حياتها كانت تُدثّرني بدفء أمومتها، وكأنّ زمهرير الشتاء أعلن يقظته ليستبيح جسدي كيفما يشاء بعد أن ذهبت إلى بارئها. تخيّلتُ صوتها يُناديني. تأمّلتُ صفحة وجهها. كان ناصع البياض، كأنّ الموت غيّر رأيه ولم يُرد أن يفترس دود الأرض بدنها الغضّ، فتركها تأخذ غفوة سريعة قبل أن يُعيدها إلى الحياة. لم تُصبني رائحة الكافور بالدوار. اقتربتُ من جسدها المسجّى وقبّلت جبينها وكفّيها وباطن قدميها. كم كانت جميلة أمّي. كان حسنها من النوع النادر الذي ضنَّ به الله على كثيرات. همستُ في أذنها بأنّني لم أحبَّ مخلوقاً في الدنيا قدر حبّي لها، وأنّني برغم كلّ ما اقترفته بحقّي، ما زلتُ أستمدّ قوّتي من وجودها، فالذين يُفارقوننا تظلّ أرواحهم تحوم حول أحبّائهم. همست لها بأنّني حزينة على فراقها، وأنّني بموتها فقدتُ نبع الحنان الذي كنتُ ألمحه دوماً في بؤبؤيْ عينيها. تمنّيت أن تُبعث مرّة ثانية للحياة ولو لبرهة وجيزة، حتى أخبرها أنّني غفرتُ لها خطيئتها، لكنّ نفسي رفضت التملّق بحضرة الموت. أبت هذه العبارة أن تنزلق خارج فمي. تخيّلتُ أنّني سمعت أنيناً يصدر من حنجرتها، فخرجت مهرولة والدموع تُبلّل وجهي ورميتُ بنفسي على صدر أبي.

لم أرَ طوال فترتي طفولتي ومراهقتي عائلة أبي إلّا لماماً. كانت جدّتي قد رحلت عن عالمنا مبكراً، وكانت عمّتي علويّة تُكرّر أمام أقربائنا أنّ أمّها ماتت حسرة على معيشة ولدها وعلى حفيدتها

التي أصابها مرض والدتها. كانوا يظنّون أنّ أبي أخطأ خطأً جسيماً حين أقدم على الزواج من أمّي، وأنّه بفعلته المتهوّرة أدخل نسل الجنون إلى عائلتهم. عمّتي علويّة كانت أكثرهم نفوراً من أمّي، وتحوّلت مشاعرها مع مرور السنين إلى عداءٍ مستحكم من ناحيتها، برغم الصداقة التي جمعتهما أثناء فترة مراهقتهما والتي كانت من الأسباب المباشرة لتعلّق أبي بأمّي وتمسّكه بالزواج بها.

كان عزاء أمّي بسيطاً مثل حياتها التي لم تنهل من مباهجها إلّا القليل. أشرفت على ترتيب العزاء عمّتي علويّة. كانت علاقتها بأبي يشوبها الفتور. لم تكن تترك مناسبة إلّا تُقرّعه على فعلته. حتّى بعدما تزوّجت وأصبحت أمّاً لأربعة أبناء، لم تتخلَّ عن بغضها لأمّي، ولم تُغيّرها تقلّبات الأيّام، بل ظلّت تُجاهر أمام أهلها وأقربائها بأنّها تُحمّل أمّي المسؤولية كاملة في تعاسة أخيها وفي إنجاب طفلة يجري فيها دم جنونها. سمعتها ذات مرّة تقول لأبي بصوت حادّ النبرات أثناء زيارتها لبيتنا: «أيش اللي يحمّلك على عيشه زي هاذي يا أخويا؟ طلّقها وشوفلك زوجه تانيه». أجابها أبي يومها: «إنتِ تبغيني أكون زوج قليل الأصل يا علويّة، وأتخلّى عن زوجتي وأمّ بنتي؟ وبعدين أنا أحبّها. ليش منتي قادره تفهمي هاذا الشي!». كنتُ أنفر من عمّتي علويّة، وظللتُ طوال الوقت أرشقها بنظراتي وهي جالسة في صفّ المعزّيات وقد اتّشحت بالسواد. كيف طاوعها قلبها على أن تجلس في بيت امرأة وتتقبّل العزاء فيها وقد جعلتها غريمتها لسنوات طويلة والأخرى ساهية عنها في لجج جنونها؟ حمدتُ الله أنّ العزاء قد انفضّ حتّى لا أضطرّ إلى رؤية سحنة وجهها، ونظراتها التي كانت تُبادلني بها، والزاخرة بمئات المشاعر الغاضبة!

2

اعتكف أبي بعد وفاة أمّي في غرفته. رفض أن يمسَّ أحد ملابسها أو شيئاً من أغراضها. كنتُ أسمعه كلّ ليلة ينتحب ضامّاً بين يديه صورتها. أضحى بين يوم وليلة رجلاً طاعناً في السنّ. غزا الشيب رأسه وشاربه ولحيته. أصبح بيتنا مثل المغارة المهجورة الفارغة من ساكنيها. أصرخ فيرتدُّ صدى صوتي في وجهي. شعرت بعد وفاة أمّي بتأنيب ضمير شديد، وبشوق عارم إليها. تمنّيتُ لو أنّ قدرها أمهلها حتّى تصل إلى سنّ العجائز مثل أغلبيّة الأمّهات. وددتُ لو رأيتها تشيخ وجحافل الزمن تزحف على شعرها الأسود الفاحم فُتحيله أرضاً بيضاء ويتقوّس ظهرها ويهرم جلدها ويُصبح كالورق المجعّد، وتستقبل وهي مستلقية على ظهرها في مخدعها نهايتها المحتومة ككلّ البشر. لم يحدث شيء من هذا، ورحلت أمّي ولم يزل بريق الأنوثة يطلُّ من عينيها. مضت بصوتها العذب الذي لم تستولِ عليه رعشة الشيخوخة.

غريب أمر الحبّ، يُعطينا إشارة الأمان ويهمس في أذننا طوال الوقت بأنّه طوع أيدينا، ثمّ يسحب البساط فجأة من تحت أقدامنا ويدفعنا نحو هوّة المجهول. كنتُ مبهورة بحبِّ أبي لأمّي. كيف

استطاع الصمود كلّ هذه السنوات، كيف قضاها وهو يغرف من نهر قلبه ليروي ظمأ عقلها الذي لم يعد يُجدي معه هطل مطر ولا قدوم ربيع. آمنتُ عندما كبرت بأنّ هناك حبّاً استثنائياً خصَّ به الله بعض البشر، وقد كانت أمّي من هذه الفئة.

لم يصمد أبي طويلاً بعد أمّي. مات بعدها في أقلّ من سنة. قبل وفاته بأيّام، رأيتُ حوائج أمّي مُعبّأة في حقائب. سألته عن السبب فأجابني بأنّه سيتصدّق بها لجمعيّة خيريّة. تعجّبتُ من قراره المفاجئ، خاصّة أنّه في البداية أصرَّ على عدم التفريط في حاجياتها. ليلتها ناداني إلى غرفته. كانت الساعة تقترب من الثامنة. لأوّل مرّة أرى وجهه مبتهجاً منذ أن تركتنا أمّي. أسند جذعه العلويّ إلى فراشه. أقعدني بجواره. مسّد على شعري ثمّ أمسك بيدي، وقال:

– شفت أمّكِ أمس في منامي!

– كيف شفتها؟

– جاتني على نفس شكلها أوّل ما اتزوّجتها. شعرها الطويل الواصل لنصّ ضهرها، وبتبتسملي زيّ عادتها وبتقوللي... لا تتأخر يا حامد. أنا مستنياك.

شعرتُ بقلبي يغوص بين جوانحي. انفجرتُ في البكاء. رميتُ نفسي على صدره قائلة

– بابا لا تسيبني..أنا ما أقدر أعيش من غيرك.

– لن تكوني وحيدة، سنظلّ أنا وأمّكِ نزورك على الدوام، ونحميك من نفسك. الذي يُحبّ تظلُّ روحه معلّقة بأحبّائه في الدنيا، إلى أن يلحقوا به بعد عمر طويل إلى دار الفناء.

أمسكتُ بيده. أخذت ألثمها وبلّلتها بدموعي. ثبّت عينيه في عينيَّ وقال:

– هناك شيء مهمّ أريد إخبارك به قبل أن يُداهمني ملك الموت. استمعي لي جيداً. في لحظة من لحظات صفاء أمّك اعترفت لي بما جرى بينها وبين عمّك محمود. أعلم أنّك شاهدتِ كلّ شيء. عمّك محمود أخبرها بذلك. أريدكِ أن تعلمي بأنّني قد غفرتُ لأمّكِ ما فعلته، لأنّه كان تصرّفاً خارجاً عن إرادتها. أمّكِ كانت في تلك اللحظات خارجة عن وعيها...

حاولتُ مقاطعته، لكنّه أوقفني بإشارة من يده:

– دعيني أكمل كلامي يا وجدان. أكثر ما كان يحزُّ في نفسي نظرات اللوم التي كنت ألمحك ترشقين بها أمّكِ. هناك يا ابنتي ذنوب تظلّ عالقة بين السماء والأرض كي تُعطينا الفرصة لمراجعة أنفسنا إلى أن تنتصر إنسانيّتنا على أحقادنا فنغفر ونسامح لمن أحببناهم وأحبّونا بصدق. منذ تلك اللحظة التي اعترفت لي فيها أمّكِ بكلّ شيء، كرهتُ عمّكِ محمود لأنّه كان على علم بمرضها، وظلّت أمّكِ عند كلّ صحوة عقل، تطلب منّي الصفح والغفران. أريد منكِ أنتِ أيضاً أن تُسامحيها لما اقترفته بحقّي وحقّكِ.

– علّمني يا أبي، فبداخلي تلال من الغضب على كلّ ما اقترفه الزمن بحقّي. لم يبقَ في فؤادي حيّزٌ ولو صغيراً كي أغرس فيه نبتة صفح وغفران.

– الغفران لا نتعلّمه، بل نتعايش معه في كلّ لحظة من حياتنا. تعوّدي أن تنظري إلى الدنيا بمنظار أكبر وأصفى، ستكتشفين أنّ لكلّ إنسان زمرة من الذنوب. إذا تقبّلت بصدر رحب هذا الأمر، فستلتمسين الأعذار لمن أخطأوا بحقّك.

أحسستُ بقلبي يعتصره الألم. كيف أمكنني أن أكون، طوال تلك السنوات، الجلّاد الذي يهبط بسوطه صباحاً ومساءً على جسد أمّي دون رحمة. تمنّيتُ لحظتها لو أمكنني نبش قبرها وإخراج رفاتها

وضمّها إلى صدري، طالبة منها أن تُسامحني على ما فعلته بها. لكن، كما يقولون «وهل ينفع البكاء على اللبن المسكوب؟!».

نمتُ ليلتها بجانب أبي ممسكة بيده، أترقّب بعينين مفتوحتين قدوم ملك الموت، لأتوسّل له أن يرأف بحالي ويتراجع عن فعلته الشنيعة. عند الفجر، استيقظت على يد تهزّني. كان أبي يُحتضر. طلب منّي كأس ماء. رفعت رأسه. ساعدته على تجرّع رشفات منه. كان الماء ينزلق من شدقيه، وبصره شاخص للأعلى. ارتسمت على محيّاه ابتسامة مُضيئة وفاضت روحه. هززته. لم يجب. كانت كفّه باردة. أدركتُ لحظتها أنّ الموت قد دخل غرفة أبي على أطراف أصابعه مستغلّاً غفوتي، ليسلبني أغلى إنسان على قلبي. شعرت برجفة في أوصالي. أدركت لحظتها أنّني اصبحتُ قشّة تتقاذفها رياح الوحدة. من سيعتني بي؟ من سيحميني من جنوني؟ صرختُ بكلّ ما أوتيتُ من قوّة وارتميتُ على جسد أبي المسجّى بجواري وانخرطتُ في بكاء مرير.

غصَّ عزاء أبي بالكثيرين. أصرّت عمّتي علويّة على أن يُقام سرادق العزاء في بيتها. تعلّلت بأنّ بيتنا لم يعد له جدوى بوفاة أخيها. حضر عمّي محمود عزاء أبي. كانت قد مرّت أعوام طويلة لم أره فيها منذ تلك الليلة القاتمة السواد. فوجئتُ برجل عجوز، هرمت بنيته، وانحنى ظهره، وتهدّل صدغاه، كأنّه يُعاني من مرض مزمن. كانت لحيته قد عاث فيها الشيب، وغاب بريق عينيه، وطغى الأصفر الباهت عليهما. تمنّيتُ تلك اللحظة أن تميد الأرض بي. سحبتُ نفسي من المكان، وانزويتُ في ركن بعيد. سمعت صوت عمّتي علويّة وهي تودّعه عند باب البيت.

3

كان طبيبي قد حرّك الفضول بداخلي لمعرفة تفاصيل عن الأدباء الذين عانوا في حياتهم من مرض الاكتئاب ووضعوا حدّاً لعذاباتهم بأيديهم بطرق مأساويّة. الكاتب الأميركي إرنست همنغواي تشابكت فصول من سيرته مع النهايات الحزينة لجدّتي ومن بعدها أمّي، وإن جاءت بأسلوب مختلف. همنغواي أطلق الرصاص على نفسه من بندقية صيد داخل بيته أثناء فترة علاجه وخضوعه وقتها لثلاث جلسات كهربائيّة، نتيجة حالة الاكتئاب التي تعرّض لها وخوفه من مرض الجنون الوراثي الذي أصاب عدداً من أفراد عائلته، فوالده كان قد أقدم على الانتحار وكذلك أختاه غير الشقيقتين وحفيدته.

هل للموت رائحة، كما كانت أمّي تقول؟ لا أعرف إن كان اعتقادها يندرج ضمن التهيّؤات التي تُصيب المجانين من أمثالنا! عندما كبرت قرأتُ أنّ للموتِ لغة تعرفها كلّ كائنات الأرض وأنّها تستشعر قدوم ملك الموت، ما عدا بني البشر، رأفةً من الله بهم. أحياناً تُداهمني حالتا الهوس والاكتئاب في نفس الوقت وتتصارعان في داخلي، دون أن أتمكّن من ردعهما. تُصيبني رغبة في التهام الحياة دون أن ألوكها بأضراسي، فأفرط في تذوّق كلّ شيء بلا توقّف،

وأحسُّ ببهجة عارمة في تذوّق كلّ جديد. وفجأة يُصيبني الاكتئاب فأؤنّب نفسي وأحتقر ذاتي وأحسّ بأنّني امرأة متهوّرة لا تكترث بعواقب أفعالها، وأنّ الموت أكبر رادع لكبح جماح نفسي، وأنّه وحده القادر على تخليصي من عذابات روحي، فأسعى لطلب ودّه وأغريه كي يستجيب لنداءاتي. طوال عمري كنتُ أكره فكرة الموت، وأحسّ بقشعريرة تسري في شراييني كلّما تخيّلتُ وقع أقدامه في حجرتي. كنتُ في خضمّ اكتئاباتي الكثيرة ألمح طيفه يقترب منّي ثمَّ يشيح بوجهه عنّي قائلاً بنبرة هازئة: «لم يحن بعد أوان قطافك».

شاهدتُ صدفةً فيلم Shutter Island بطولة ليوناردو دي كابريو. كانت أحداث الفيلم تدور حول رجل تعرّض لصدمة نفسيّة شديدة وخضع لعلاج طويل بعد أن قتل زوجته التي كانت قد قتلت أولادهما الثلاثة، نتيجة إصابتها بمرض عقلي دفعها حينها إلى إزهاق أرواحهم. شعرتُ بجسدي يغوص في الأريكة وأنا أتابع أحداث الفيلم، وتذكّرتُ الصدمة التي تعرّضتُ لها في صغري ومحاولة أمّي خنقي بيديها. تُرى ماذا كانت أمّي تُفكّر في تلك اللحظة؟ هل تنبّأت بما سأصبح عليه، فأرادت أن تُريحني من العناء الذي أتعرّضُ له اليوم؟ قال لي طبيبي إنّ كلّ إنسان يُخلق وفي أعماقه مغروسة بذرتا العقل والجنون، وأنّهما يظلّان في صراع بينهما حتّى يحين أجله. قد يتغلّب الجنون على العقل في لحظة من اللحظات، وقد يتغلّب العقل على الجنون في لحظات أخرى، وقد ترجح كفّة أحدهما على الأخرى وتغيّبها للأبد!

هبوط اضطراري للحاضر

1

قمتُ من نومي في حالة مزاجيّة معتدلة. دلفتُ إلى الحمّام لأستحمّ. وقفتُ في المغطس تحت صنبور الماء الدافئ. أخذتُ أراقب فقّاعات الصابون وهي تنحدر من شعر رأسي وتغسل صفحة وجهي وتتدفقّ في شقّ هضبتي منزلقة باتّجاه عانتي، لتجد طريقها عند قدميَّ وتسقط داخل مجرى الماء. لم يكن هذا الصباح ككلّ الصباحات. هو أوّل يوم لي في عامي الثالث والثلاثين. مرّت أكثر من ثلاثة عقود على مولدي بغمضة عين. أتذكّر أحداثها وتفاصيلها كأنّها جرت البارحة. جفّفتُ بدني المبلّل. ارتديتُ ثوباً قطنياً أخضر اللون. كان يوسف قد اشتراه لي من روما خلال شهور زواجنا الأولى. لم أفرّط به وظلّ حبيس خزانة ملابسي. كان يقول إنّه لون يُناسب جلدي ويُضفي نضارة على وجهي. جلستُ أمام تسريحتي. سرّحتُ شعري وتركته مرميّاً على كتفيَّ، ولملمتُ غرّتي بطوق من القطيفة السوداء. تناهى إلى سمعي جرس الباب يرنّ. هرولت نحوه. كانت مروى تقف عند عتبته وهي تحمل كرتونة متوسّط الحجم. قالت باسمة: «أتسمحين لي بالدخول؟». أفسحت لها الطريق. وضعت الكرتونة على طاولة الطعام. أخرجت من داخلها قالباً كبيراً من الحلوى، كُتب عليه «عيد ميلاد سعيد يا

جودي». أخرجت من حقيبة يدها ثلاث شمعات وغرستها في القالب. «كلّ شمعة بعشرة أعوام، عقبال مئة عام يا قلبي»، قالت لي وهي تقبّلني على خدّيَّ، قبل أن تتابع ضاحكة:

– أسقطتُ العامين الأخيرين عمداً.

حضنتها بحبّ، قائلة:

– لقد أمضيتُ البارحة ليلة عيدي في مرثيّة قاتلة مع نفسي، لكنّني كنتُ واثقة بأنّك لن تنسيه. لو كان لي أخت لما أغدقت عليَّ كلّ هذا الحبّ ولما أحاطتني بهذا الكمّ من الرعاية.

– دعينا من هذا الكلام الذي لا أستسيغ سماعه. أنتِ تعلمين مكانتك في قلبي.

كانت مروى قد أخبرت أهلها بأنّها ستبيت عندي. سرقنا الوقت. جلسنا نتبادل أطراف الحديث. بدأتُ أحدّثها عن آخر أخباري وعن أوجاع الوحدة التي أصبحت تنتابني بكثرة بعد رحيل أمّي وأبي. حاولت مداراة دموعها المحشورة في زوايا عينيها. غيّرت دفّة الحديث. فتحت حقيبتها، وقدّمت لي علبة عطر شانيل الذي أحبّه. شكرتها على هديّتها. أخذت تُحدّثني بحماسة ممزوجة بنبرة حبّ عن خطيبها أنور، وعن تفاصيل لقائها الأوّل به. كانت مروى تعمل في أحد المستشفيات الكبيرة بقسم التأمينات الطبيّة حيث تستقبل يوميّاً مطالب من عشرات المرضى للموافقة على علاجهم وصرف أدويتهم. كان أنور قد عُيّن حديثاً. جاء مكتبه صدفة بجوار مكتبها. تبادلا نظرات الإعجاب من بعيد. وجودهما في نفس القسم قرّب بينهما. طلب رقم هاتفها. لم تُظهر تمنّعاً كما تفعل أغلبيّة البنات. كتبته له على قصاصة صغيرة ووضعتها بجانب كومة أوراقه فوق مكتبه. أحبَّ أن يختصر الطريق. أخبرها في مكالمته الأولى أنّه لا يُحبُّ تضييع وقته في إقامة علاقات عابرة، وأنّه جاد برغبته في

الزواج بها. بعد أيّام قليلة، جاءت أمّه لزيارتهم. قالت لي والفرحة تقفز في عينيها:

– جلستُ معه وتحدّثنا في مواضيع كثيرة بحضور أمّه وأمّي. وجدتُ فيه كلّ صفات فارس أحلامي.

– الله يسعدك يا مروى. أنتِ تستحقّين كلّ خير. كنتِ وما زلتِ نعم الصديقة. لا أنسى وقوفكِ بجانبي في أحلك لحظات حياتي.

ثمّ أطلقتُ زفرة طويلة قائلة بنبرة حزينة:

– غداً ستتزوّجين وتلتهين بحياتك الجديدة وتنسينني.

– وهل الصداقة تتلاشى بتقلّب الأحوال؟ الصداقة الحقيقيّة لا تتغيّر بتغيّر الظروف. أنا سعيدة لأنّني عرفتُ إنسانة مثلك، لا تعرف المراوغة وتملك قلباً رقيقاً، وهذا ما أحبّه فيكِ.

– الكثيرات ابتعدن عنّي بسبب تقلّبات مزاجي، وأنتِ لم تتراجعي، وظللتِ بجواري.

– لا تُبالغي يا عزيزتي برجم ذاتك. جميعنا لدينا بقع سوداء في صفحات حياتنا، قد ينجح بعضنا في تمزيقها والمضيّ في طريقه، وقد يفشل بعضنا الآخر في ذلك، وتظلُّ ملتصقة بسجلّ عمره إلى أن يشيخ ويموت وتُرافقه إلى مثواه الأخير.

ظللنا نتسامر لساعة متأخّرة إلى أن غلبنا النوم. استيقظنا حوالى الحادية عشرة صباحاً. تركتني على أن تمرّ عند السادسة مساءً لاصطحابي إلى أحد المراكز التجاريّة حيث ستشتري ما يلزمها لزواجها.

هل السعادة مقدّرات إلهيّة، أم مخطّط بشريّ نرسمه بدهاء داخل عقولنا على أمل أن نحقّقه في نهاية المطاف؟ لا أدري! ولكنّني كنتُ سعيدة من أجل مروى. لقد وجدت ضالّتها في رجل اختارته بحدسها. كان حفل زفافها رائعاً. بدت فيه مروى كحوريّة من حوريّات

الجنّة بثوبها الأبيض، وهي جالسة بجانب عريسها وباقات الزهور المتباينة الألـوان تُحيط بهما. غصباً عنّي، انفلتت من عينيّ نظرة غيرة. تمنّيتُ في أعماقي لو منحني الله جزءاً من حظّها لأنعم بحياتي.

عاد قـدري يُناكفني كأنّه لم يكتفِ بما فعله بي! عاد ليقف لي بالمرصاد، مُخرجاً لسانه هازئاً من أمنياتي البسيطة! لم تنقضِ أشهر قليلة على زواج مروى، حتّى أخبرتني بانتقال عمل زوجها إلى مدينة ينبع واضطرارها إلى مرافقته. وعدتني وهي تضمّني بحنان أنّها ستحضر إلى جدّة بين فينة وأخرى لرؤيتي. وعاد خريف الوحدة يعصف بحياتي ويقذفني شمالاً ويميناً.

2

أصابني هذه الليلة صداع شديد وشعرتُ بآلام شديدة في مفاصلي. أويتُ مبكراً إلى فراشي. ما إن وضعتُ رأسي على الوسادة حتّى رحتُ في سبات عميق. حلمتُ بأنّني أراقص رجلاً في بهو واسع، تُحيط به أشجار سامقة من الجانبين، وأعمدة المصابيح تنير المكان. كان بهيّ الطلّة، فيه وجاهة، طويل القامة، تفوح من جسده رائحة عطر رجولي متميّز. عيناه الدافئتان نفذ شعاعهما على الفور إلى أعماقي. ضمّني إليه بقوّة فأحسست بنشوة عارمة وبرعشة اللذة تنساب في شراييني. قمتُ من نومي مسترخية، وقد تبلّل سروالي الداخلي. منذ أيّام مراهقتي لم أحسّ برعشة الاحتلام. كان سيف يحضرني أيّامها كثيراً، إلى أن سدّد إلى مشاعري المتأجّجة ضربته القاضية. من وقتها توقّفتُ عن الاحتلام ونشأت قطيعة طويلة بيني وبينه. استيقظت قرابة الثانية عشرة ظهراً. قرّرتُ وأنا أتثاءب في فراشي ذلك الصباح النديّ أن أتزوّج للمرّة الثانية. شهيّتي كانت مفتوحة للأكل. طلبتُ من الخادمة تجهيز سندويتش من المرتديلا مع كوب من الشاي بالحليب. وضعت الخادمة صينية الطعام على طاولة صغيرة بجانبي. أسندتُ ظهري إلى خلفيّة سريري. وضعتُ اللابتوب في حجري.

كانت قد واتتني فكرة قرأت عنها على الإنترنت، عن حالات زواج ناجحة تمّت بواسطة مواقع التواصل الاجتماعي. أنشأت صفحة على فايسبوك وأطلقتُ على نفسي اسم «عاشقة الحياة». بدأت بتحريك مؤشّر البحث لإضافة أشخاص إلى صفحتي. أحرص على الدخول إلى صفحاتهم وتفحّص صورهم والتدقيق في ملامحهم قبل إرسال طلب الصداقة. ظللتُ شهراً على هذه الحال، أضيف من يعجبني وألغي من لا يروقني أسلوبه في التعارف. توقّفتُ أثناء تصفّحي عند صورة لزهرة عبّاد الشمس! دوّن صاحبها تحتها لقب «المحبوب». أثارت فضولي. اللون الأصفر الزاهي يلفت على الدوام انتباهي. أرسلتُ له طلب صداقة. صرتُ كلّ يوم أفتح صفحتي على أمل إيجاد رسالة قبول منه. جاءني الردّ بالقبول بعد مرور عشرة أيّام. توجّست بعض الشيء! كيف أعرف أنّه رجل؟ ما يُدريني إن كان امرأة متخفّية وراء هذه اللوحة المغرية؟ كانت مغامرة كبيرة منّي أن أفتح قناة بيني وبين مجهول! سمعتُ قصصاً كثيرة عن نساء وقعن فريسة محتالين غرّروا بهنّ وابتزّوهنّ لأغراض ماديّة وجنسيّة. استجمعت شجاعتي وأرسلت له رسالة اخترت كلماتها بعناية، قلت له فيها: «كن صادقاً معي. أنا فتاة تعيسة، بائسة، وحيدة في هذه الحياة. أبحث عن رفيق درب حقيقي. لا أحتمل وقعة ألم، ولا ضربة موجعة». ظللتُ أفتح بريدي كلّ يوم، حتّى وافاني الرد بعد عشرة أيّام. جاء مرفقاً بباقة من الورود الحمراء، كُتب تحتها: «إلى عاشقة الحياة. أنا مثلك أبحث عن رفيقة درب صادقة النوايا». أغلقتُ اللابتوب. أخذت أدور في حجرتي وأتمايل على أطراف أصابعي فرحاً. تعمّدتُ ترك جهازي مغلقاً عدّة أيّام. فتحت صفحتي بعدها لأجد منه عدداً من الرسائل تحمل تساؤلاً واحداً: «لماذا لم تردّي عليّ؟». «هل أغضبتك في شيء؟». «هل يُمكنني محادثتك؟». «بالمناسبة اسمي ضياء، ما اسمك؟».

شعرت بقلبي يتفتّح مثل زهرة اللوتس في فصل الربيع. فرحتُ لأنّ هناك من يتعقّبني ويفتقدني. أرسلتُ له رسالة اعتذار، مرفقة بباقة من الفلّ الأبيض. عقّبتها برسالة ثانية قلتُ له فيها: «هل من الممكن أن ترسل لي صورتك؟». ردَّ على الفور: «لماذا؟». «لأنّني أؤمن بأنّ ملامح المرء تعكس جوانب من شخصيته».

أرسل في التوّ واللحظة صورته بدون غترة وعقال، مرفقة بسلسلة من علامات الاستفهام. يبدو في منتصف الثلاثينيات. جذبتني عيناه الواسعتان بحدقتيهما الشديدتي السواد، المعجونتان بتلال من الطيبة. ذكّرتاني على الفور بعينيْ أبي. راقتني طلّته. تمعّنتُ في شعره الخفيف المنحسر عن ناصيته والمنذر بصلع مبكر. لطالما أعلنتُ نفوري من الرجال الذين انحسر الشعر عن رؤوسهم في سنّ الشباب، لكن لا أعرف لماذا استرجعتُ تفاصيل احتلامي والرجل الذي راقصته في حلمي! ربّما أرسل لي الله نبوءة يُبشّرني فيها بأنّ الهناء يقف على بابي!

أرسل لي رسالة أخرى على الفور: «لماذا لم تُعلّقي على صورتي؟». أتبعها برسالة ثالثة: «القاعدة لا تستثني أحداً. متشوّق لرؤية صورتك». أوقفتُ المحادثة وأقفلت جهازي على الفور. تملّكني خوف مفاجئ! ماذا لو لمح جنوني مرسوماً على صفحة وجهي، أو رآه محشوراً في زاوية من زوايا عينيّ؟

بعد أسبوع من التردّد طردتُ مخاوفي. ذهبتُ إلى صالون التجميل. قصصتُ أطراف شعري. اقترحت عليَّ مُصفّفة الشعر جعله متموّجاً لكونه الأفضل لملامحي. استجبتُ لاقتراحها. وضعتُ مكياجاً بسيطاً. طلبتُ من المصفّفة تصويري من عدّة زوايا. عندما عدتُ إلى البيت أخذتُ أتفحّص الصور كلّها بعناية. أرسلتُ له الأجمل من وجهة نظري، وكتبتُ تحتها: «اسمي وجدان». كأنّه كان يتابع صفحته

كلّ لحظة. جاءني الردّ على الفور: «كم أنتِ جميلة. يقولون عنّي إنّني ماهر في فراسة الوجوه، وقد أوحت لي ملامحك بأنّكِ إنسانة طيّبة القلب، شفّافة الروح. هل أطمح في الحصول على رقم هاتفك؟ دعينا نتحدّث، فالصوت له تأثير كبير في تغذية المشاعر». أرسلتُ له رقمي بدون تعليق. سألني: «هل أستطيع مهاتفتك بعد العاشرة مساءً؟». أرسلتُ له رداً بالموافقة.

3

منذ ذلك اليوم الذي تركني فيه أبي ومضى للرفيق الأعلى، وأنا أبكي فراقه بحرقة كلّما ألقيتُ برأسي على وسادتي. ليس هناك أقسى من أن يجد الإنسان نفسه يسير وحيداً في درب طويل مظلم، يجهل ما الذي ينتظره في نهايته. لم يعد أبي موجوداً ليُلاحقني كي آخذ دوائي، ولا ليفرح لفرحي ويحزن لحزني. مسكين أبي. ظلَّ يُحاول إسعادي وبثَّ الطمأنينة في نفسي المضطربة وتضميد جراحي الملتهبة إلى أن أغمض جفنيه إلى الأبد. لم يستطع الصمود، وقع في النهاية صريعاً. لم يتحمّل كلّ هذا الكمّ من العراك والصراع من أجلي ومن أجل أمّي. خلال السنوات الأولى التي تلت رحيله، اعتدتُ النظر إلى حياتي من شرفة آيلة للسقوط! أراقب بحذر أيّامي جزعاً من أن تسقط حاجياتي وتتناثر كالشظايا الملتهبة أمامي، دون أن أملك حيلة في إطفاء لهيبها. فقدتُ اليد الحانية التي اعتادت لملمة أوجاعي. كان مرضي قد استعبدني، وكنت أترقّب اللحظة التي سيحرّرني فيها من قيده. كنتُ على أتمّ استعداد لأشتري حرّيتي بأيّ ثمن يُريده، لكنّ المشكلة كانت في جنوني الذي استحلى استعباد هذا الجسد. صرتُ موقنة بأنّني غدوتُ نسخة مكرّرة من جدّتي الأولى حوّاء، التي طردها الله وآدم من

جنّته إلى الأرض عقاباً لهما على معصيتهما حين تشاطرا الأكل من الثمرة المحرّمة! الفرق بيني وبينها أنّ البشريّة بأكملها دفعت ثمن هذه الخطيئة التي ورّطت نفسها فيها، بينما أعاني وحدي بدون أن أكون قد اقترفت ذنوباً فادحة ليعاقبني الله عليها، ويكتب في لوحي الشقاء طوال عمري، ويحشرني داخل سرداب مُوحش أهرس آلامي بأضراسي المهترئة!

كنتُ قد قلّلت من شرب المسكرات عند زواجي بيوسف، لكنّي سرعان ما عدتُ إليها بشراهة بعد طلاقي. أشتري الزجاجة الواحدة بسعر باهظ، وأتحصّل على سجائر الحشيش من سائق أندونيسي عرّفتني إليه عاملة نظافة آسيويّة تعمل في أحد المستشفيات الخاصّة الكبرى. كنتُ أهدر نصف معاش أبي على الشراب ونصفه الآخر لم يكن يكفيني لتأمين مستلزمات معيشتي. الذي حال بيني وبين وصولي إلى مرحلة الاحتياج المادّي، أنّ جدّي لأمّي ترك إرثاً لابنته على أن ينتقل لي بعد وفاتها. كان عبارة عن بناية صغيرة مكوّنة من ثلاثة طوابق في حيّ النزهة، درّت عليَّ دخلاً ثابتاً.

العديد من الرجال دخلوا حياتي عقب طلاقي. هناك من كنتُ أصل إلى الذروة معه عبر الهاتف، وهناك من كنتُ أنساق خلفه في حالة هوسي وأنهل من رجولته بلا توقّف، فألتقي به في بيته أو في استراحته الخاصّة أو في غرفة يستأجرها بأحد الفنادق. حين أفيق من هوسي، أقف أمام مرآتي وأبصق على وجهي، وأحطّم زجاجها بفردة حذائي. كنتُ أقوم بأفعال شنيعة لكنّني كنت أستعذبها، لأنّها كانت تُبيح لي تحطيم كلّ حواجز القيم الأخلاقية، والانغماس بشهواتي إلى ما لا نهاية.

منذ أن دخل ضياء حياتي تغيّرتُ كليّاً. كانت المرّة الأولى، منذ مات أبي، التي يتجاسر فيها رجل ويُقاتل بضراوة وحوش هوسي ويلجم

نزقي. محادثاتي اليوميّة أنا وضياء لم تكن تنتهي. نظلُّ نتسامر على الهاتف حتّى ساعة متأخّرة من الليل تلامس الفجر أحياناً. حكى لي بالتفصيل عن حياته. أخبرني عن زيجته الأولى الفاشلة التي أثمرت طفلاً لم يتعدَّ السادسة. عاد ضياء للعيش مع والدته كي ترعى ابنه الوحيد. كان يشغل منصب مدير تنفيذي في إحدى كبريات شركات الاستيراد والتصدير في جدّة. تخرّج في جامعة الملك عبد العزيز، قسم إدارة أعمال فرع محاسبة. تزوّج زواج صالونات، كانت والدتها صديقة مقرّبة لأمّه، ومن هنا تمَّ طبخ الزيجة. لم يتعرّف إليها عن كثب. كلّ شيء تمَّ في خلال أشهر معدودة. اعترف لي بأنّ التفاهم كان معدوماً بينهما منذ بداية زواجهما. أخبر أمّه بأنّه لا ينوي الاستمرار، فامتعضت. طلبت منه التروّي، متعلّلة بأنّ كلّ الزيجات تتخلّلها الخلافات في السنة الأولى. اقترحت عليه أن يتفاهم معها بأسلوب ودّي. فوجئ حين أخبرته زوجته بحملها. نزل عليه الأمر كالصاعقة المدوّية. استسلم على مضض لمقالب القدر. حاول أن يُسيّر قارب زواجهما نحو يابسة آمنة لكنّ مساعيه فشلت. خرجت زوجته غاضبة إلى بيت ذويها قبل أن يُكمل طفلهما شهوره الستة الأولى. كان يراه مرّتين في الأسبوع. هاتفته بعد طلاقهما بسنة لتُخبره أنّها ستتزوّج قريباً، وستتنازل له عن حضانة ابنهما. من يومها صار ولده كلّ حياته. صارحني بأنّ العبارة الأولى التي أرسلتها إليه على صفحته حرّكت مشاعره، ولامست شغاف قلبه. من هنا بدأ خيط الوصال يلتحم بيننا. عندما كان يسألني عن حياتي، كنتُ أرمي له بالفتات وأضنُّ بالوجبة الدسمة!

لا أعرف كيف تطرّق الحديث ذات ليلة إلى الأمراض النفسيّة التي تُصيب بعض الناس. قال بنبرة حزينة: «أشفق على الأشخاص الذين يُعانون من أمراض عقليّة وراثيّة. هؤلاء لا ذنب لهم في أن

يحكم عليهم المجتمع بالجنون. لو وجدوا من يتفهّم ظروفهم ويقف بجانبهم لعاشوا سعداء». انحشرت الدموع في عينيّ، وأنهيتُ المكالمة مبكراً. تعذّرتُ له بأنّني شعرتُ فجأة بصداع شديد. تلك الليلة خلعتُ ملابسي، ووقفتُ عارية أمام مرآتي. أخذتُ أتأمّل تقاسيم جسدي المتناسقة. سألتُ الله بنبرة عتاب: «لمَ لم تجعل عقلي جميلاً كجسدي؟». ذرفت بحرقة دمعاً كثيراً، وعندما وضعتُ رأسي على سريري تساءلتُ إن كان يحقّ لي أن أُحِبّ وأن أُحَبّ؟! عدتُ إلى الماضي. تذكّرت طليقي يوسف. كنت قد ألقيتُ عليه عند بداية تعارفنا سؤالاً كان يشغل بالي: «هل تعتقد بأنّ الحبّ والجنون، من الممكن أن يقبعا على سطح سفينة واحدة؟». «الحبّ أنواع ودرجات، لكنّي أعتبر الحبّ الحقيقيّ بحدّ ذاته جنوناً إذا وصل إلى مرحلة العشق اللاإرادي، ولا يهمّه حينها إن كان يسير وسط صحراء قاحلة أو واحة خضراء!».

حضرت في ذهني صورة أمّي، عندما كان أبي يُوصد باب البيت الخارجي بالمفتاح بعدما تكرّرت حالات خروجها من البيت بدون وعي منها. أتذكّر صراخها الليليّ، وكيف كان أبي يضع رأسها في حجره ويقرأ لها آيات من القرآن الكريم إلى أن يطلع النهار. من يهبني رجلاً مثل أبي، يُهدهد جنوني، ويرفعني بحبّه إلى أعلى مراتب السعادة، ويضعني في قلبه بمكانة القدّيسين؟!

4

طلب ضياء أن يراني، فطلبتُ منه أن يُمهلني وقتاً للتفكير. تملّكني الخوف من أن يستشعر ما أهاب منه. كنتُ قد بدأتُ أشعر بالقلق من زيادة وزني. ارتفع من خمسة وخمسين كيلوغراماً إلى ستين، بسبب أدوية الاكتئاب التي أتعاطاها. لاحظتُ أنّ ردفيَّ قد امتلآ عن السابق وكذلك تدويرة وجهي وعنقي. صرتُ أقف على الميزان مرّتين يوميّاً. أتابع بهوس الكيلوغرامات الزائدة. كانت قدرتي على التركيز قد بدأت تخفت، وشعور بالخمول يجتاح بدني، وأوجاع في مفاصلي، وإحساس بالغثيان ورغبة في التقيّؤ.

قمتُ مبكرة صباحاً، لم أستطع صلب عودي والنهوض من سريري. كان باب حجرتي مغلقاً. اتّصلتُ بيديَّ المرتجفتين على هاتف الخادمة. طلبت منها بصوت ضعيف أن تحضر في الحال إلى غرفتي. أتت مهرولة، وقالت لي بنبرة هلعة: «مدام، إنتَ شكلك كتير تعبان». تحاملتُ على كتفها. طلبتُ منها أخذي إلى الحمّام. أفرغتُ كلّ ما في جوفي في حوض الاغتسال. ساعدتني في العودة إلى فراشي. ارتميتُ عليه. أمسكت بهاتفي. ضغطتُ على رقم طبيبي. سألني إن كنتُ قد قمتُ أخيراً بعمل تحليلي الاعتيادي لمعرفة نسبة

دواء الليثيوم في دمي! فأجبته بالنفي. طلب منّي الذهاب حالاً إلى قسم الطوارئ في المستشفى الذي أتعالج فيه. نادت الخادمة على السائق ورافقتني إلى المستشفى. كان طبيبي بانتظاري وحقنني في الوريد كي يُخلّصني من سمومي.

مكثتُ في المستشفى ما يُقارب أسبوعين. كان طبيبي مصرّاً على متابعة حالتي عن قرب. بكيت له، وقلت:

– لم أعد أحتمل العيش في هذا الوضع. كلّ ما أتمنّاه أن أحيا مثل غيري. مللتُ من مرضي. أتمنّى أن ألقى رجلاً يرمي لي، عندما أقع في حفرة جنوني، بحبل حبّه وينتشلني من أغواره البعيدة. حبيب عندما أفرح يفرح معي، وعندما أحزن يحزن معي. أن نبني معاً أحلاماً مشتركة، وأن نُرزق بأبناء أصحّاء وأمارس أمومتي في وضح النهار، ونشيخ معاً.

– سأعيد عليكِ مراراً وتكراراً ما قلتهُ لكِ سابقاً. هناك كثيرون في مثل حالتك منَّ الله عليهم بالشفاء مع مرور الوقت نتيجة استجابتهم للعلاج. المهمّ أن تنتظمي على أخذ دوائك وستنجحين بإرادتك في التغلّب على آثاره الجانبيّة.

عند خروجي كتب لي الفاليوم كي يُساعدني على النوم، وقلّل جرعة أدويتي الأخرى.

طوال فترة مرضي لم أسمع صوت ضياء. كنتُ قد فقدت شهيّتي للتحدّث مع أيّ أحد. هاتفي الخلوي لم يكن يكفُّ عن الرنين. أرى اسم ضياء على شاشته ولا أعبأ بالردّ عليه. بدأ يُرسل عشرات الرسائل متضمّنة: «إنتي فين؟». «أنا مشغول عليكي». «ليه ما بتردّي عليّا؟». «حصلّك مكروه لا سمح الله؟!».

كنتُ حائرة، لا أعرف ماذا أقول لأبرّر غيابي! هل أعترف له بأنّني امرأة تحمل عقلاً مريضاً، مغروسة في داخله دودةٌ لا تكفُّ عن

الدوران فيه نهاراً وليلاً؟ هل أقصّ عليه تاريخ أسرتي مع رحلتيْ الجنون والموت؟ كان لديَّ اعتقاد راسخ بأنّه ليس كلّ كتاب جديراً بالقراءة من الصفحة الأولى إلى نقطة النهاية! أحياناً الصفحات الملتصقة التي لا نفلح في قراءتها تُريحنا، تجعلنا نستخدم مخيّلتنا لرسم ما نرغب فيه منها!

كنتُ قد بدأتُ أستعيد نشاطي وحيويتي. اتّصلت به. ما إن سمع صوتي حتّى حاصرني بعشرات الأسئلة عن سبب اختفائي المفاجئ. أخبرته بأنّني تعرّضتُ لنزلة برد شديدة. تبدّل صوته الغاضب. أخذ يُداعبني بكلمات حانية مبطّنة بالشوق. أقسم لي بأنّه طوال فترة انقطاعي، لم يكفّ عن التفكير بي، وأنّني أصبحتُ إنسانة غالية عنده. شعرتُ بالفرحة تُدغدغ فؤادي. تمنّيتُ لو واتتني الجرأة لأرمي في حجره كلّ أثقال آلامي التي تجرّعتها منذ طفولتي حتّى اليوم، لكنّني لم أكن أملك الجرأة الكافية لأُقدم على هذا القرار الصعب. ظلَّ يطلب منّي بإلحاح أن نتقابل. اقترح أن نلتقي في مقهى Pull الساعة العاشرة صباحاً لأنّ لديه إفطاراً رائعاً بحسب تعبيره. وصف لي المكان. كان المقهى يقع في شارع التحلية خلف فندق الرمال. تعمّدتُ الذهاب قبل الموعد لأختار طاولة منزوية. كان المقهى في ذلك الوقت من النهار شبه خالٍ باستثناء عدّة نسوة شغلن بعض الطاولات. لمحته وهو يدخل. لم أتخيّل أنّه طويل القامة، رياضي الجسم «واثق الخطوة، يمشي مَلكاً» كما تقول المطربة أمّ كلثوم. أخذ يتلفّت في أرجاء المكان بحثاً عنّي. أشرت له بيدي. سحب كرسيّه وجلس. قدّم لي وردة حمراء قانية. ابتسمت. أخذ يتأمّلني بعينين صافيتين، وقال: «أنتِ أجمل بكثير من الصورة». ابتسمت، فتابع حديثه: «لقد تعمّدت اختيار منتصف الأسبوع حتّى لا يرانا أحد. أتدرين، في عطلة نهاية الأسبوع تجدين هذا المقهى يغصُّ بالشابّات

الصغيرات». لم أعلّق. كنتُ مشغولة بتهدئة ضربات قلبي التي تسارعت لحظة أن وقعت عيناي عليه. شعرتُ لحظتها بأنّني أودُّ أن أرتمي بين ذراعيه. أن أقول له إنّه مضى زمن طويل لم يتسرّب فيه شعاع من الفرحة لقلبي. تمنّيتُ لو زعقت بأعلى صوتي، وقلتُ له أخيراً وجدتُ ضالّتي وابتسم القدرِ في وجهي ورضي الله عنّي، لكنّه قطع عليَّ مناجاتي مع نفسي، قائلاً: «لديهم هنا سندويتشات جبنة لذيذة وكرواسان طيّب المذاق. سأطلبها لك». حاولت التلهّي بمضغ الطعام. شعرتُ باللقمة تقف في حلقي والدموع تترقرق في عينيّ. لاحظ ارتعاش يديَّ وشحوب وجهي. ظهر القلق على وجهه:

– وجدان، ما بكِ؟

– لا تجزع عليَّ، ولكنّني من فرط سعادتي لا أكاد أصدّق ما أنا فيه الآن. أشعر كأنّني أحلّقُ في أعالي السماء بدون أجنحة.

– أتدرين! لو لم نكن جالسين وسط الناس، لأخذتكِ في أحضاني ومسحتُ بشفتيَّ دمعكِ الغالي على قلبي.

تركنا المكان والساعة تقترب من الثانية عشرة قبل أن يُعلن المقهى إغلاقه لحلول صلاة الظهر. افترقنا عند بابه. سار بقدميه نحو سيّارته. هاتفت سائقي وطلبتُ منه الحضور. استغرق الأمر منه دقائق للقدوم من موقف السيارات. لوّح لي ضياء من بعيد وأنا أدلفُ داخل سيّارتي. فتحتُ زجاج النافذة عن آخرها. كنّا في نهاية شهر ديسمبر. الجوّ صحو، معتدل، والشمس تتوارى حيناً خلف السحب، وتسطع حيناً آخر. تركتُ الهواء يُداعب صفحة وجهي وخصلات شعري التي استطاعت التحرّر من قبضة وشاحي. سحبتُ شهيقاً طويلاً وغرقتُ وسط بحيرة آمالي.

5

عرض عليَّ ضياء السفر معه إلى مدينة أمستردام. كانت الشركة قد انتدبته لمدّة أسبوع هناك. قال لي: «أريد أن أكون معك في بلد حرّ يُقدّس الحبّ ولا يُلاحقه في الميادين العامة. أرجوكِ وافقي». رحّبت بعرضه من دون تفكير. كانت حالتي مستقرّة. كنتُ قد داومتُ في الفترة الأخيرة على أخذ أدويتي بدون انقطاع. زرتُ طبيبي قبل سفري وسألته إن كنتُ أستطيع ترك أدويتي لفترة وجيزة! وافق بعد أن فحصني ولاحظ استقرار وضعي، محذّراً إيّاي من تركها لفترة طويلة وإلّا باغتتني نوبات هوسي وجنوني. نزلنا في فندق «أمستردام» الواقع وسط المدينة. كلّ صباح كان يُقدّم لي زهرة توليب ونحن نتناول فطورنا. أداعب أوراقها برفق. أدسُّها عند فتحتي أنفي وأشمّ عبقها الزاكي. كان يتركني صباحاً ساعات قليلة لينهي اجتماعاته ثمَّ يعود لاصطحابي. أثناء غيابه كنتُ أقطع الوقت بالتجوّل على الدرّاجة فوق الجسور الحديديّة والخشبيّة التي تربط أطراف المدينة بعضها ببعض. وأحياناً أخرى أسير على قدميَّ وأستمتع بمشاهدة نهر أمستل الذي يشقُّ أحياءها. قادتني قدماي في واحدة من مرّات تجوالي إلى حيّ الدعارة المعروف بـ Red Light District. اكتشفتُ أنّ مدينة

أمستردام فيها شيء من جنوني. فهي مدينة في النهار تنبض بالحياة وتهيم بالفنون وتزخر بالمطاعم الرائعة، وفي الليل تصدح الموسيقى الصاخبة من الديسكوهات التي تملأ أحياءها وتحوّلها إلى مدينة تعشق الحريّة وتُقدّس الجسد وغارقة في الحب حتّى أذنيها.

قال لي ضياء ضاحكاً ونحن جلوس في مقهى بجانب النهر: «هل تعلمين أنّ الحشيش مسموح به هنا؟ الحكومة ترى أنّ كلّ ممنوع مرغوب، لذا تبيعه علناً في المحالّ لكلّ من يبلغ السنّ القانونية. هل جرّبته من قبل؟». أومأتُ برأسي. ابتسم قائلاً: «سيكون له طعم مختلف ونحن نُدخّنه معاً». عرفت ضياء عن كثب خلال الأسبوع الذي قضيناه معاً. ماذا يُحبّ وماذا يكره. غيرته التي يُحاول كبحها كلّما لمح أحدهم يُطيل النظر إليّ. كنتُ أتشبّث بذراعه سعيدة ونحن نتسكّع على الجسور. وفي الليل، كنّا نرقص في الديسكوهات، وأترك شعري يرتمي بفوضويّة على وجهه، وأميل برأسي على كتفه وأترك أنفاسه تُلهب عنقي. كانت كؤوس البيرة وسجائر الحشيش تفقدنا وعينا، فيلتهم كلّ منّا الآخر بشبق مسعور. أنساني وجوده بقربي كلّ ما مررت به. مسح بحبّه بواطن الألم فاختفت من لحظتها. كانت المرّة الأولى التي تعجز فيها صورتا أمّي وأبي عن اقتحام أحلامي. لم يعودا يزورانني في مناماتي. أثناء رحلتنا البحريّة لزيارة مصانع الأجبان، ظللتُ طوال الرحلة ملتصقة به، تاركة رذاذ نهر السعادة يُبلّل صفحة وجهي. قبلاته المحمومة جعلتني أعيش الحبّ في أروع صوره. حبّ لم أتخيّل أن أعيشه يوماً! شكرتُ الله من كلّ قلبي على هذه الهبة السخيّة التي منَّ بها عليَّ وجعلها تُحرّرني من جزعي، وحبّبني في حياتي بعد أن كنتُ كارهة لها. كان قد بقي يومان على عودتنا إلى جدَّة. أبديتُ رغبتي في زيارة متحف الرسّام الشهير فنسنت فان غوخ.

رفع ضياء حاجبيه مندهشاً وقال:

– لم أظنّ أنّ لكِ اهتمامات فنيّة!

– كلّ ما في الموضوع أنّني متشوّقة لرؤية متحف هذا الفنّان الذي قطع أذنه ليقدّمها إلى حبيبته.

– قرأت أنّه كان يُعاني من مرض الصرع، وقتل نفسه وهو لم يتعدَّ السابعة والثلاثين من العمر. مسكين، أعتقد أنَّ الخوف قد سيطر على حياته بعد أن وصل إلى مرحلة الغياب الكلّي.

– قصّة حياته مؤلمة. يقولون إنّه لم يبع طوال حياته سوى لوحة واحدة، واليوم تُقدّر كلّ لوحة من لوحاته بملايين الدولارات.

ركبنا المترو الذي يشقُّ قلب مدينة أمستردام متّجهاً إلى متحف فان غوخ الوطني. تجوّلنا في أروقته. تمعنّا في لوحاته. أخذتُ أحدّق في صورته التي رسمها بريشته. اشتريت قميصاً مطبوعاً عليه لوحته الشهيرة «عبّاد الشمس» مع بعض التذكارات الصغيرة. بعد أن.أنهينا التسكّع في أرجاء المتحف، جلسنا في أحد المقاهي الصغيرة التي تُحيط به لتناول وجبة خفيفة. سألني بنبرة فضول:

– ما سرّ إعجابك بهذا الرسام؟

– لا أعرف، ربّما لأنّه لم يستطع تقبّل فكرة جنونه وأنهى حياته بيديه. يقولون إنّه، وهو يلفظ أنفاسه الأخيرة، قال لأخيه: «إنّ الحزن يدوم إلى الأبد».

– لا يُوجد يا حبيبتي حزن يستمرّ إلى ما لا نهاية. كلّ نقطة بداية لا بدّ من أن تكون لها خاتمة مكتملة الأركان. آلامنا وأحزاننا لا بدّ من أن تتوقّف عن مرحلة معيّنة. عامل الزمن له دور كبير في تقلّب قلوب البشر، وأرى أنّ مسؤوليّة كلّ نهاية تقع على عاتق صاحبها في ما آلت إليه. ألا توافقينني الرأي؟

– يا حبيبي، لو كان أصحاب النهايات يتحمّلون وزرها وحدهم، لما سمعتَ عن أناسٍ أقدموا على الانتحار تخلّصاً من آلامهم.

لاحظ نظراتي الشاردة. أغرقني بفيض حنانه. ضمَّ يديَّ بين راحتيه، وسألني بعينين حائرتين:

– لم أعرف حتّى اليوم سبب طلاقك من زوجك!

سحبت يديَّ فوراً. رميتُ برأسي على جيدي. أحسست بخدر يسري في شراييني كأنّ يداً مجهولة حقنتني بمادّة سامّة في عروقي، وتركتني في حجرة معتمة ألقى مصيري.

سألني بنبرة وجلة:

– ألهذا الحدّ سؤالي أزعجك؟

أجبته بنبرة متماسكة:

– أهله كانوا معارضين لزواجنا، وهو لم يستطع الصمود طويلاً أمامهم.

– هل أحببتهِ؟

– بالتأكيد، وتألّمتُ كثيراً حين انهار زواجنا.

– هل ما زالت له مكانة في قلبك؟

– منذ أن أنرتَ جنبات فؤادي بحبّك، لحقني النسيان بكلّ ما له علاقة بماضيَّ معه. أؤمن بأنّ طعم كلّ تجربة حبّ جديدة نعيشها بصدق، قادر على تجديد شرايين قلوبنا التي أنهكها الألم. كلّ حبّ نمرّ به يمحو ما قبله، كالذنوب التي نُريد من الله أن يخلّصنا منها فنطلب الصفح والغفران، وعندما نحنُّ إلى إنسانيتنا ونشتاق إلى تذوّق طعم الخطيئة من جديد نعود ونملأ صفحات أيّامنا بها. كم أحبّك يا ضياء.

6

فتحتُ خزانة ملابسي. أخرجتُ ألبوم الصور القديم. أخذتُ أتأمّل صور أبي وأمّي. كلّ صورة كانت ترتبط بذكريات جميلة عندي. هذه كانت في مدينة إسطنبول في تركيا. وتلك كانت أثناء رحلتنا إلى الريف الفرنسي. توقّفتُ عند صورة تجمع بين عمّي محمود وأبي وأمّي. إن لم تخنّي ذاكرتي، فهذه كانت يوم عيد ميلادي في صالة الجلوس في بيتنا. كانت أمّي ترتدي فستاناً أزرق اللون منسدلاً حتى أسفل ركبتيها وقد ظهرت حلاوة ربلتيها، وعقصت شعرها الطويل على شكل كعكة وظهرت صفحة وجهها بتقاسيمه الجميلة. أبي واقف بجوارها وقد لفّ ذراعه حول خصرها ونظراته تفيض حبّاً نحوها. أمّي تنظر باسمة إلى أبي. نظرات عمّ محمود مصوّبة على كليهما. مددتُ يدي. سحبتُ الصورة من تحت الغلاف الشفاف. مزّقتها ورميتها في صندوق القمامة. أخذت أنفاسي تتلاحق، وضربات قلبي تزداد اضطراباً. أغلقت الألبوم وأعدته إلى مكانه فوق الرفّ في خزانة ملابسي.

كنتُ في الخامسة عشرة من عمري حين رأيتُ أمّي عارية للمرّة الأولى والأخيرة. كنتُ في مرحلتي الثانويّة. عدتُ يومها إلى البيت فوجدت موسيقى أغنية أمّ كلثوم «إنتَ عمري» تصدح في

غرفتها. كان الباب مواربأ. دفعني فضولي للاقتراب. مددتُ رأسي. كانت تقف أمام مرآتها عارية كما خلقها ربّي، تتمايل بشعرها الغزيز. أخذت أتأمّل جسدها الفاتن. كانت مثل تمثال فينوس التي يصفونها في الأساطير اليونانيّة. نهداها كانا ممتلئين ومشدودين كأنّ يد رجل لم تلمسهما بعد، وحلمتاها بارزتين متوردتين، وردفاها المتماسكان يهتزّان على إيقاع الأغنية. وقفت على أطراف قدميها الجميلتين اللتين كان مقاسهما لا يزيد عن 37 سم ودارت في أرجاء الحجرة، مردّدة بصوتها العذب الذي طالما سحرني كلمات الأغنية «هات إيديك تسرح في دُنيتهم عِينيّا». ظللتُ واقفة حتّى توقّف جهاز التسجيل. هرعتُ إلى غرفتي. سألت الله في حيرة ليلتها وأنا أخلد إلى فراشي: «لماذا صببت في أمّي كلّ هذا الجمال، وتركت شيطان الجنون يُسيطر على عقلها؟ لماذا لم تكن عادلاً في توزيع هباتك عليها حين خلقتها؟»،

قليلة تلك الصور التي تكون فيها السماء صافية في بيتنا، وكثيرة تلك الصور القاتمة المحمّلة بعواصف رعديّة تهزُّ جدرانه. أتذكّر كيف كنتُ أهبُّ فزعة من نومي على نبرة أمّي الجريحة، وهي تصرخ بأعلى صوتها في الهزيع الأخير من الليل. فترات غيابها الطويل عن البيت وافتقادي للنظرات الحانية التي كانت ترميها نحوي عندما تفلح في الانفلات من سطوة جنونها. غريب أمر الماضي! عندما نستعيده يجعلنا بالرغم عنّا نتأرجح على أريكته، فيُحلّق بنا أحياناً إلى الأعلى ويكون رحيماً بنا ويُشرّع لنا طاقة من الأمل، فنقبل على حياتنا بقلوب فرحة. وأحياناً أخرى يُزيحنا من فوق أريكته، ويفتح طاقة الجحيم على مصراعيها ويدع لهيبها يلفح وجوهنا بدون رحمة، فنتمنّى الموت في كلّ لحظة ألم تمرّ بنا. عندما أكون مع ضياء أنسى الأمس الذي نهش طفولتي بويلاته، ولا أفكّر سوى بالسعادة التي يُضفيها وجوده بقربي،

لكن ما إن تتوارى صورته حتّى تُهاجمني بشراسة أعراض جنوني، فأبكي بحرقة وأتوه في طرقات حياتي المظلمة ولا أعرف أيّ طريق أسلك كيْ أعود إلى صوابي!

كانت الحيرة تتنازعني ويلتفُّ حبلها حول عنقي! هل أصارح ضياء بحقيقة مرضي، أم أترك الأمر للقدر يقشع ما يُريد ويستر ما لا يرغب؟ لمَ لا أستفيد من عِبر الأمس؟ كان هاجس الخوف من فقدان ضياء كما سبق أن فقدت يوسف قد سيطر عليّ. وكان الهلع قد تملّكني بأن أستيقظ ذات يوم من نومي، فأجده قد لملم أغراضه ورحل كقطرات الندى التي تتلاشى مع إشراقة شمس الصباح.

7

حصل كلّ شيء في غمضة عين. في ليلة أضاء فيها وجه القمر سماء الدنيا، تزوّجنا أنا وضياء. قلتُ له أريد أن تكون ليلتنا الأولى ونحن متزوّجان تحت سماء مدينة تطأها قدماي للمرّة الأولى. وقع اختيارنا على مدينة لندن. حجز ضياء في فندق هيلتون الواقع في منطقة مايفير. كان الطقس بارداً مع قرب نهاية شهر أكتوبر. قادتنا أقدامنا في اليوم التالي لوصولنا إلى شارع نايتس بريدج حيث يقع متجر هارودز الشهير. قلتُ لضياء ونحن نتجوّل في أرجائه:

– مسكينة الأميرة ديانا. لقد دفعت حياتها ثمناً لعلاقة حب قُدّر لها أن تموت في مهدها.

– نعم، أحياناً ينجرف الإنسان منّا خلف حبّ مجنون، معتقداً أنّه سيقوده إلى طريق السعادة الأبديّة، ولا يدري أنّه سيؤدّي إلى هلاكه. الحبّ في أغلب الأحيان يُجبر صاحبه على التخلّي عن رجاحة عقله ولذا سُمّي حبّاً.

– أتعرف لماذا أحبّك؟ لأنّك تُفلسف الأمور بمنطق عقلاني يروقني. بجانبك تتبدّد مخاوفي.

أصرّت والدة ضياء على أن يعيش حسن ابن ضياء معها. قالت له: «تعوّدتُ وجوده أمامي، وسأكون أكثر اطمئناناً بوجوده معي». لم يُعارض ضياء طلبها، خاصة أنّها تعيش وحيدة بعد زواج إخوته وموت والده منذ سنوات عدّة. لم يكن ضياء على علم بمرضي. خانتني شجاعتي. كرّرتُ خطئي ولم أستطع مكاشفته بالأمر. بعد أسبوع واحد من وصولنا للندن حدث ما كنتُ أجفل منه. كنتُ قد توقّفتُ قبل سفري بأسبوعين عن أخذ دوائي، وهو ما حذّرني منه طبيبي كثيراً. رغبت كالعادة في تجنّب آثاره الجانبية وفي أن أكون نحيفة وجميلة بفستاني الأبيض. سرعان ما بدأت عوارض الهوس والاكتئاب تظهر عليّ. لاحظ ضياء تقلّبات مزاجي. سألني إن كنتُ متضايقة من شيء ما! أجبته بالنفي. ذهبنا ليلاً إلى ميدان البيكاديلي. قلتُ له أرغب في أن تُراقصني حتّى الفجر كما كنّا نفعل في أمستردام. دخلنا إلى أحد الديسكوهات. أفرطتُ في تناول المشروبات الكحوليّة. طلب منّي التوقّف. غادرنا المكان الثالثة صباحاً. كانت شهوتي عارمة. أستحثّه على أخذي إلى الفندق. ارتميتُ في أحضانه، وظللتُ أطلب المزيد. في المرّة الأخيرة قال لي لاهثاً: «هذا ليس فعل امرأة عاديّة. لقد نفدت طاقتي». قمتُ باكراً في اليوم التالي يملأني شعور الانتشاء. كانت الساعة لا تتجاوز الثامنة صباحاً. أخذتُ دشّاً دافئاً. ارتديت بنطلون جينز وبلوفر بيج ولففتُ رقبتي بشالي الصوفي المربّع الرسوم. وضعت معطفي الكحلي اللون فوق ملابسي وغادرتُ الفندق. لم يحسّ ضياء بخروجي. كان الطقس شديد البرودة. أوقفتُ سيارة أجرة. طلبت من السائق أخذي إلى محطة Waterloo، وهناك، قطعتُ تذكرة في قطار يوروستار المتّجه إلى باريس. وجدتُ نفسي الساعة الثانية عشرة داخل محطة Gare du Nord في باريس. كنت قد بدأت أفيق من حالة هذياني. أخرجتُ هاتفي من جيب بنطالي

واتّصلتُ بضياء. ما إن سمع صوتي حتّى صرخ قائلا: «أين أنتِ؟». أجبته باكية: «أنا في باريس. لا أعرف كيف وصلتُ إلى هنا!». طلب منّي العودة في القطار التالي القادم إلى لندن. «سأنتظرك في المحطة»، قال لي. وصلتُ إلى محطة ووترلو عند الثامنة مساءً. كان الإعياء والتعب مرسومين على وجهي. ما إن رأيته حتّى ألقيتُ نفسي على صدره وانخرطتُ في بكاء هستيري. طوال الطريق إلى الفندق ظلّ صامتاً. ما إن دلفنا للغرفة حتّى طلب منّي توضيب الحقائب. سألته عن السبب! أجابني بأنّه قد قدّم حجزنا وأنّنا سنعود إلى جدّة غداً، متابعاً بنبرة غاضبة أنّه لو كان يعلم بنيّتي القيام بهذا التصرّف المتهوّر، لما أقدم على وضع تأشيرة الاتحاد الأوروبي على جوازيْ سفرنا. لم أعلّق. رميتُ جسدي على السرير ورحت في نوم عميق.

8

ظلَّ ضياء صامتاً منذ عودتنا إلى جدّة. لا يُكلّمني إلّا لماماً. كانت حالة الاكتئاب قد بلغت أقصاها عندي. حالة الازدراء لذاتي بدأت تتفاقم بداخلي. شعوري القديم باحتقار نفسي أخذ يتضخّم في أعماقي. استيقظتُ من نومي مذعورة قرب الفجر، أتصبّب عرقاً. تخيّلت أشباحاً مطموسة المعالم تُحيط بسريري، وأصواتاً تصرخ بأذنيَّ. وجدتُ نفسي أقفز من سريري وأتّجه مهرولة تجاه النافذة. أفقت من غيبوبة عقلي على ذراعي ضياء تشدّانني من كتفيَّ، وهو يحاول إبعادي عن النافذة. أصرَّ ضياء في اليوم التالي على أخذي إلى الطبيب. ذكرتُ له اسم طبيبي، فرفع حاجبيه دهشةً. قلتُ له: «هناك ستعرف كلّ شيء».

لم يكن سهلاً عليَّ أن أواجه ضياء بحقيقة مرضي. كان يستمع إلى كلام الطبيب بعينين مذعورتين غابت عنهما الفرحة. وضع يديه فوق رأسه وأخذ يُحوقل بصوت خافت. نصحه الطبيب بوجوب مكوثي أسبوعين على الأقل في المستشفى لتتسنّى له متابعة حالتي. لم يُمانع. حرص على إخفاء الأمر عن أمّه. ظلَّ يوميّاً يزورني قبل أن يذهب إلى عمله طوال فترة مكوثي بالمستشفى. عندما حان موعد خروجي، أكّد عليه الطبيب بوجوب إحضاري للجلسات النفسيّة

أسبوعيّاً. أوصاه بوجوب أخذي لأدويتي في موعدها حتّى لا تُعاودني الحالة. بمجرّد دخولنا إلى البيت، سألني بنبرة مبطّنة باللوم:

– لماذا لم تُصارحيني منذ البداية بحقيقة مرضك؟

– خفتُ أن أفقدك. أنتَ كلّ حياتي. إذا ابتعدت عنّي فسأصبح إنسانة تعيسة شقيّة وسيكون فقدانك نهاية لحياتي.

– لن أتركك. هذا قدرنا، ولكن عديني بألّا تتركي أدويتك أبداً. أنا أيضاً خائف من فقدانك لأنّي أحببتك بصدق. وإذا كنتِ متألّمة لعدم قدرتك على الإنجاب، فسيكون ولدي في حكم ولدك.

دفنتُ رأسي في صدره، وضممت يده بين كفيَّ، وانخرطت في بكاء حارّ.

لم يكن ضياء صادقاً بوعده في ما يخصُّ ابنه. كان لا يأتي به إلى البيت إلّا لماماً. يذهب لرؤيته يوميّاً في بيت والدته. سألته مرّة: «لماذا لا تُحضر حسن للمبيت لدينا في عطلة نهاية الأسبوع؟». كان يشيح بعينيه عنّي ويتحجّج بأعذار واهية. سمعته مرّة يُحادث طبيبي قائلاً: «أخاف أن أحضر ولدي للبيت فتؤذيه بدون أن تعي ما تفعله». بكيت ليلتها بحرقة في حجرتي. حضرت بقوّة حادثة أمّي بتفاصيلها المؤلمة في ذهني، فعذرته على هواجسه، واستسلمت من جديد لسخرية قدري.

كان قد مرّ عامان على زواجي بضياء، تحمّل خلالهما انتكاسات مرضي التي كانت تُفاجئني. بدأ نداء أمومتي يلحُّ عليَّ غصباً عنّي. توقفتُ عمداً عن أخذ حبوب الحمل. أخفيت الأمر برمّته عن ضياء. كان كلّما سألني، أؤكّد له أنّني أتناولها بانتظام. بعد مرور شهرين من انقطاعي عنها، حدث الحمل. كدتُ أطير من السعادة والطبيبة تُخبرني بأنّني حامل في شهري الأوّل. ارتديتُ فستاناً قطنيّاً فضفاضاً مشجّر الألوان، عاري الكتفين. جلستُ أتابع برنامجاً طبيّاً عن كيفيّة

العناية بالطفل في شهوره الأولى. كان فكري شارداً، لا أعرف كيف أخبر ضياء بموضوع حملي. عند الخامسة سمعتُ صرير الباب وقدما ضياء تتّجهان نحوي. مال عليّ وقبّلني على صدغي. سألني باسماً:

– كيف كان يومك حبيبتي؟

أجبته سريعاً وبدون تفكير:

– اليوم الصباح رحت لدكتورة النسا.

– خير إن شاء الله؟!

بلعتُ ريقي، ولملمتُ شجاعتي قائلة:

– كشفت عليّا وقالتلي إنّي حامل.

اتسعت حدقتاه، تبدّلت ملامحه، وصرخ بوجهي:

– أيش؟! يعني كنتِ بتخدعيني يا وجدان كلّ هاذي المدّه؟ أنا سامحتك لما خبّيتي عليّا مرضك وعذرتك، لكن تستغفليني مرّه تانيه وتتوقفي عن أخذ حبوب الحمل من ورايا؟! هاذا اللي ما حأقدر أسامحك عليه! والله ما حأجلسلك في البيت ولا دقيقه واحده بعد اليوم. اسمعي يا بنت الناس، عليكي إنّك تختاري بيني وبين اللي في بطنك!

توسّلتُ إليه أن يجعلني أحتفظ به، حاولتُ إفهامه أنّني أحلم بأن أصبح أمّاً. أمسكت بتلابيبه، لكنّه تخلّص من قبضة ذراعيّ. صمّ أذنيه عن استعطافي له. خرج باتّجاه الباب، قائلاً: «آسف وجدان، لا أتحمّل فكرة أن يكون لي ابن مجنون، أهدر حياتي في الدوران به على عيادات الأطبّاء النفسانيين. قولي عنّي ما شئتِ، لكنّني لن أحيد عن موقفي». تخيّلتُ أبي واقفاً أمامي، يصبُّ عليّ نظراته الحانية المغموسة بالشفقة. آه يا أبي. لا يوجد رجل مثلك في هذه الدنيا. تُرى هل أخطأتُ حين تماديتُ في أمانيَّ؟ هل أذنبتُ عندما رغبتُ في أن أروي أمومتي؟ لماذا أعاد الله النظر في هبته وضنَّ عليَّ بالسعادة التي منحني إيّاها؟ هل وثقتُ به أكثر من اللازم؟

9

منذ ذلك اليوم لم أسمع أيّ خبر عن ضياء. اتّصلتُ به عشرات المرات على هاتفه الخلوي، أجده مغلقاً على الدوام. اتّصلتُ بوالدته مرّات عدّة، وكان الردّ واحداً «غير موجود». كان حملي قد دخل منتصف الشهر الثاني. تملّكني اليأس، ملأني الإحباط، فعزمتُ على إجراء عمليّة الإجهاض. لم يكن الأمر صعباً. كانت حالتي المدعومة بتقاريري الطبيّة تُجيز لأيّ طبيب إجراء العملية. وأنا أدلف إلى غرفة العمليّات، انهارت أعصابي وتساقطت دموعي بدون توقّف. ربّتت الممرضة يدي، قائلة: «ما في خوف حبيبتي. إنتِ إن شاء الله حيصير كويّس». مكثتُ في المستشفى يومين. عدتُ إلى البيت برفقة خادمتي الفلبينيّة وسائقي. تمدّدتُ على فراشي. أمسكتُ بهاتفي النقّال. كتبتُ فوراً رسالة لضياء قلت له فيها: «لقد رضختُ لرغبتك وتخلّصتُ من الجنين». ظللتُ أدقّق النظر بهاتفي أسبوعاً كاملاً. كنتُ متلهّفة لأن يردَّ على رسالتي، أو يُهاتفني، لكنّ شاشتي ظلّت فارغة باستثناء رسائل الدعايات المتكرّرة. وأنا أتخبّط في خضمّ هواجسي وترقّباتي، عادت مروى من القاهرة بعد أن قضت مع زوجها شهراً هناك. حرصت على أن تأتي لزيارتي قبل أن تعود إلى ينبع. ما إن

رأيتُ مروى أمامي حتّى رميتُ بنفسي على صدرها وأجهشت بالبكاء. قصصتُ عليها بحرقة ما جرى مع ضياء. قالت:

– لقد أخطأتِ حين تخلّصتِ من الجنين. حالتك ليست سيئة لهذا الحدّ، والطبّ تقدّم كثيراً.

– هل كنتِ تريدينني أن ألد طفلي بعيداً عن أبيه؟

تغمّدتني مروى بنظرات حانية، معلّقة:

– لقد دفعني مرضك للبحث على الإنترنت عن مختلف أنواع الأمراض النفسيّة. أتعلمين أنّ مرض الاكتئاب سيُصبح عام 2020 الأكثر انتشاراً في العالم بعد أمراض القلب؟!

فتحت حقيبة يدها، وأخرجت كتاباً مترجماً للعربية، كُتب على غلافه الخارجي «عقل غير هادئ»*.

– لقد لفتَ اسمه انتباهي أثناء تجوالي في مكتبة ديوان. تصفّحته فخطرتِ على بالي. محتواه يتضمّن سيرة ذاتيّة لامرأة عانت من مرض الهوس والاكتئاب، وهي بالمناسبة طبيبة نفسيّة، أحبّت مرّات عدّة وتزوّجت ثلاث مرّات، وهي تعيش حاليّاً حياة مستقرّة مع زوجها الأخير. أريدكِ أن تقرئيه وتستفيدي من تجربتها.

وضعتُ الكتاب بجانبي. تطرّقنا إلى مواضيع شتّى. رجوتها أن تبقى معي للغداء. طلبتُ مشاوي من مطعم بالم بيتش. كان وجود مروى في حياتي له أهمية بالغة. أشعر وهي بجانبي بأنّ في هذا العالم الفسيح، من يخاف عليّ ويتمنّى سعادتي. أعدّت لنا الخادمة كوبين من النسكافيه. قالت لي مروى وهي ترتشف كوبها:

* An Unquiet Mind (Kay Redfield Jamison).

– وجـدان، أعلم أنّ الحياة قد قست عليكِ كثيراً، لكن من يدري، ربّما كلّ شيء سيتغيّر بطرفة عين وتعود المياه إلى مجاريها بينك وبين ضياء.

– يُعجبني تفاؤلك، ولكنّ كلمة أمل الغيتها من قاموسي! يوسف ضاق بجنوني، وها هي الأحداث تتكرّر بإخراج مختلف مع ضياء. أنا امرأة شقيّة يا صديقتي.

– لقد رأيتُ ضياء مرّات قليلة، ونظرتي فيه لن تخيب. أؤكّد لك أنّه يحمل في دواخله بذرة وفاء، وفي عينيه طيبة من الصعب تجاهلها.

– أوافقكِ في كلّ ما قلتهِ، لكن عندما يُقرّر الرجل الرحيل تتوارى هذه الصفات في صندوق صلب يُغلقه بإحكام. المرأة قد تتراجع عن مواقفها لأنّ العاطفة الجيّاشة التي خلقها الله فيها تجعلها تغفر وتصفح مئات المرات، لكن يظلُّ عقل الرجل هو المتحكّم بقراراته وإن كانت قاسية عليه وعلى من يحبّ.

أخذنا الحديث إلى حياتها الجديدة. كانت تتحدّث بحماسة عن زوجها. كلّ ما فيها كان يشعُّ فرحة. سبحان موزّع الأرزاق، يهب سعادته لمن يشاء، ويضنُّ بها على من يشاء. ودّعتني مروى عند الساعة السابعة مساءً، وهي تعدني كعادتها بأن لا تنقطع عن زيارتي.

أمسكتُ الكتاب الذي جلبته لي. بدأت أقرأ صفحاته الأولى. شدّتني سطوره. كانت الساعة تدقُّ الثانية بعد منتصف الليل عندما فرغتُ من قراءته. كنتُ كلّما قلّبتُ صفحة من صفحاته، شعرتُ بأنّني أنظر إلى نفسي من كوّة صغيرة فُتحت فجأة أمامي. كانت معاناة الطبيبة تتشابه في الكثير من فصولها مع معاناتي، لكنّ الفرق بيننا أنّها وجدت سعادتها، بينما ما زلتُ أنتظر قراراً إلهيّاً يضعني في قائمة المحظوظين في هذه الدنيا.

فرجينيا وأنا

1

سمعتُ على لسان بطلة أحد الأفلام التي شاهدتها ولم أعد أتذكّر اسمها عبارة جميلة: «الحياة مثل المثلّجات، علينا أن نستمتع بلعقها قبل أن تذوب». كيف يُمكنني الاستمتاع بحياتي قبل أن تنسكب على الأرض، وأقداري تترصّدني طوال الوقت كأنّه ليس في هذا العالم آدميٌّ سواي؟ آه يا ضياء، تمنّيتُ أن تكون آخر محطّة يقف عندها قطار عمري، لكن ليس لي سوى أن أكرّر العبارة الشهيرة «تأتي الرياح بما لا تشتهي السفن»، التي يُردّدها الناس حينما يشعرون بخيبة أمل تجاه شيء توقّعوه ولم يتحقّق. قلبي لم يعد يحتمل المزيد من الخيبات يا حبيبي! منذ اللحظة التي تعارفنا فيها وشعلة حبّك تُنير جدران قلبي الذي ظلّ معتماً سنوات تعبتُ من عدّها. لم أكلّ ولم أملّ من طرح سؤال، عجزت نفسي عن إيجاد إجابة مقنعة له: «هل من الممكن أن يصمد الحبّ المغلّف بالجنون أمام الرياح العاتية؟». أعلم أنّ الرجال ليسوا سواسية في تعاملهم مع مشاعر الحبّ، ولكنّني طالما بحثتُ فيك عن روح أبي الذي ظلّ وفيّاً لأمّي إلى أن فارقت الحياة. من الظلم أن أجحفك حقّك وأنكر عليك مشاعرك التي حملتها لي في الماضي! فليس صعباً على من يعشق بجوارحه أن يُميّز المشاعر المزيّفة من

الحقيقيّة! لكنّني حِرتُ في معرفة ماهيّة حبّك، وإن كان هذا الحبّ قد غرق في قعر اليمّ، أم ما زال يُصارع من أجل البقاء على قيد الحياة! أحببتك حبّاً لا مجال للتراجع عنه، كأنّني لم أحبّ ولم أتزوّج رجلاً قبلك. سألتني مرّة عن الحبّ! وأجبتك بأنّ كلّ حبّ عندي مثل القبلة الأولى، يظلّ طعمها عالقاً بشفاهنا حتى لحظة مماتنا. أعتقد أنّ كلّ البدايات في حياتنا لها وضع استثنائي، لكن «حبّكْ إنتَ شكل تاني» كما تقول المطربة أمّ كلثوم.

هل أنا قنبلة موقوتة كما كنتَ تقول لي مازحاً، ولذا هربت قبل أن تنفجر بوجهك وتُصيبك شظاياها في مقتل؟ تنتابني أحياناً فكرة أن أدفع بقصّتي إلى مخرج موهوب كي يحوّلها إلى فيلم سينمائي، فأحداثها لا تخلو من التشويق. وأحياناً أخرى تخطر على بالي كتابة يوميّاتي والسعي لنشرها عند دار نشر كُبرى. أعدل عن هذه الخواطر السخيفة، فبمَ يستفيد الناس من تتبّع تفاصيل حياتي؟ أنا لستُ فنانة مشهورة، وعائلتي لم تكن يوماً من العوائل الثريّة التي يشار إليها بالبنان، كي يسعى لملاحقتها الصحافيون ويحصلوا على سبق صحافي يهزُّ الدنيا. أنا امرأة عاشت على الهامش طوال عمرها. أنتَ تدري بأنّني أحبُّ تصفّح المجلّات الفنيّة، وإن كانت القراءة لا تستهويني وخاصّة قراءة الروايات التي أصبحت الشغل الشاغل للناس، فحياتي كانت أكبر رواية ما زلتُ أعيش في عُمق أحداثها، وأترقّب بلهفة، الفصول الباقية منها. لديّ رغبة ملحّة في أن أُحدّثك عن أديبة بريطانيّة اسمها فرجينيا وولف. كانت تعاني من نفس طبيعة مرضي. اكتشفت صدفة كتاباً يتطرّق بالتفصيل إلى حياتها وأنا أقلّب رفوف مكتبة أبي العامرة بالكتب النفسيّة. كان طبيبي قد نصحني أثناء زياراتي المتكرّرة له بقراءة بعض الكتب التي تتحدّث عن سير مبدعين عانوا من نفس طبيعة مرضي ونجحوا في التخلّص

من آلامهم. هذه الأديبة تُوفيّت نهاية القرن التاسع عشر مع بلوغها التاسعة والخمسين من عمرها. لم يقبض ملك الموت روحها، بل بادرت من تلقاء نفسها وجعلت قرار رحيلها بيدها. ذات صباح مشرق، كتبت رسالة لزوجها، وضعتها له قرب الموقد، خرجت صوب النهر، ملأت جيوب معطفها بالأحجار الثقيلة وألقت بنفسها في النهر. بالتأكيد يدفعك الفضول لمعرفة فحوى الرسالة التي تركتها خلفها! كانت فرجينيا قد كتبت فيها لزوجها:

عزيزي، أنا على يقين بأنّني سأُجنّ، ولا أظنّ أنّنا قادران على الخوض في تلك الأوقات الرهيبة مرّة أخرى، كما لا أظنّ أنّني سأتعافى هذه المرّة. لقد بدأت أسمع أصواتاً وفقدت قدرتي على التركيز. لذا سأفعل ما أراه مناسباً. لقد أشعرتني بسعادة عظيمة ولا أظنّ أنّ أيّ أحد قد شعر بسعادة غامرة كما شعرنا نحن الاثنين معاً إلى أن حلّ بي هذا المرض الفظيع. لست قادرة على المقاومة بعد الآن، وأعلم أنّني أفسد حياتك وبدوني ستحظى بحياة أفضل. أنا متأكّدة من ذلك.

لا أدري كيف استطاعت هذه المرأة أن تُصبح أعظم روائيات بريطانيا، وأن تترك إرثاً أدبيّاً راقياً برغم مرضها المستعصي على الأطبّاء إبّان عصرها! أدركتُ أنّ السرّ يكمن في الحبّ والوفاء اللذين حظيت بهما، من رجل وضعته الأقدار عمداً في طريقها. نعم يا حبيبي، سيظلّ الحب النقيّ الذي يربو في الحقول الخضراء، هو طريق الخلاص من آلامنا والضوء الساطع الذي يُضيء عتمة حياتنا. لقد وجدتُ شبهاً كبيراً بينها وبين أمّي. ستقول لي هازئاً.. لم أكن أعلم أنّ أمّك كانت روائيّة عظيمة كفرجينيا! حسناً، الذي يجمع بينهما ليس موهبة القلم، بل شيء أعظم من ذلك بكثير! الحبّ يا حبيبي.

لقد كانت هذه المرأة محظوظة بامتلاكها قلب رجل أصرَّ على البقاء معها إلى أن فارقت الحياة. هو لم يملّ ولم يتأفّف من جنونها ولو لم تنهِ حياتها بيدها لظلَّ باقياً معها إلى أن تلفظ أنفاسها الأخيرة.

أرى أنّ فرجينيا لم تكن فقط محظوظة لأنّها حظيت بزوج رائع، بل لأنّ الله أعطاها موهبة الإبداع. قرأتُ في سيرتها أنّ أختها قالت لها إنّها امرأة محظوظة لكونها عاشت حياتين: حياة خاصّة بها تعيشها مع زوجها ومن حولها، وحياة أخرى عاشتها على الورق! كم تمنّيتُ أن أكون كاتبة على الأقل لكي أنسج قصصاً في خيالي وأعيش بحريّة بداخلها كما كانت تفعل فرجينيا وولف. هل تُصدّق لو قلتُ لك إنّني كنتُ أختلق حوارات معها منذ أن تعرّفتُ إليها؟ أحياناً كانت تخترق الأزمنة وتنتقل إلى عصري. وأحياناً أخرى كنتُ أذهب أنا إلى عصرها. الحوار بيننا لم يكن ينقطع إلّا حين أختنق بنوبة مرضي، لكن ما إن أطفو على السطح وأرى فقاقيع الأوكسيجين وأتنبّه إلى أنّني قد عدتُ إلى الحياة، حتّى أعاود فتح أبواب الحوار معها. حكيتُ لها عن طفولتي التعيسة، وعن جنون أمّي وحرماني الطويل منها. أجابتني بأنّ ما مررتُ به لا يُوازي ما مرّت به من معاناة! يكفي أنّ أخاها غير الشقيق اغتصبها في صغرها، وتأثير ذلك الأمر على نفسيتها بعدما كبرت. قلتُ لها إنّني فقدتُ أعزّ اثنين على قلبي، أمّي وأبي، وإنّني في شوق عارم إليهما وأحتاج إلى وجودهما ليُظلّلا سماوات حياتي القائظة. ربّتت كتفي وأخبرتني بأنّها أيضاً فقدت أبويها وأختيها. عرّيتُ أمامها نفسي، كشفتُ لها ماضي حياتي الذي لا يُريد أن يعتقني من أصفاده. قالت لي: «كلّ امرئ يضمر ماضيه كأوراق كتاب حفظه عن ظهر قلب، وأصدقاؤه لا يقرأون إلّا العنوان». حكيتُ لها عن قصّة معاناتي في الحبّ الذي ظللتُ طوال مشواري أبحث عنه في المنعطفات والحارات وما زلتُ أترقّب لقاءه! قالت لي: «كلّنا نبني

أسواراً بحريّة داخليّة لتصدَّ حزن الحياة والقوى الجامحة الموجودة غالباً داخل عقولنا. الحبّ بالنسبة إليّ هو الجزء الجوهري الاستثنائي من هذا السور العازل للأمواج». عندما تعرّفتُ إليكَ، أفصحتُ لها عن غرامي بك. ابتسمت بوجهي قائلة: «ربّما سيكون هذا الرجل مفتاح سعدك. لا يُمكنك إيجاد السكينة بتجنّب الحياة». رددتُ عليها بنبرة ينزُّ منها القلق: «خائفة من أن يتوه منّي في ليلة موحشة مظلمة، فأتخبّط وحيدة ولا أعرف أيَّ الدروب أسلك!». ردّت بصوت حانٍ: «لن تستطيعي الوقوف بوجه القدر مهما فعلتِ. دعيه يُفاجئك، فما أجمل مفاجأته حين يكون راضياً عن أحد منّا». عندما بدأت الزلازل تهزُّ جدران بيتنا، هرعتُ إليها، قلتُ لها: «إنّي أسمع زعيق البوم عند نافذتي، وهو نذير شؤم في عرفنا العربي». ابتسمت لي قائلة: «بعض الأحيان، حين نحبّ، تختلط علينا أمور كثيرة! حين تحسّين بأنّ نظرات من تحبّين مطمورة تحت طمي التعب والرغبة في التملّص، عليكِ أن تُغادري حياة من تحبّين في كبرياء بدون أن تُطلقي صفّارة إنذار كي تلفتي انتباهه. ليس أصعب على المرأة من أن تبحث عن الحبّ في عينيْ من أغرمت به، فتجد حدقتيه باردتين كالبلّورتين الزجاجيتين لا روح فيهما. أتعرفين لماذا آثرتُ الرحيل؟ لأنّني وددتُ أن أصطحب معي الحبّ الذي أمدّني به زوجي طوال السنوات التي عشتها معه. قرّرتُ الرحيل قبل أن يتحوّل حبّي له إلى احتياج، فنحن عندما نُحبّ نريد أن نعيش الحبّ لأجل الحبّ، لا لكي نحوّله إلى صندق صدئ نرمي بداخله ما تململنا منه، ونُعاود فتحه ونبش محتواه حين يهزّنا الحنين إليه. الحبّ الحقيقي لا يفرض علينا رسم مئات من علامات الاستفهام الغبيّة حوله، التي يحلو لبعض الناس استخدامها كجداول الضرب والقسمة!».

آه يا عمري، لو تعرف كم أحببتك. لا تظنّ أنّ انسحابك المفاجئ من حياتي جعلني أندم على زواجي بك، فالسعادة التي غمرتني بها، رغم قصر مدّتها، جعلتني أرفض رفضاً قاطعاً أن أضعك في قائمة ذكرياتي السوداء! تُرى لو متُّ في نوبة من نوبات اكتئابي، فهل ستبكي عليَّ بحرقة كما فعل أبي عند موت أمّي، أم ستطوي ذكراي وتمضي في طريقك؟ هل ستذكرني بالخير، أم ستتنفّس الصعداء لأنّ القدر حرّرك من تلك الحياة المضطربة؟ بالتأكيد ستنساني ذات يوم، فمن غير المعقول أن تصمد ذكرانا أمام فطرة حبّ البقاء والاستمتاع بالحياة! سيجيء اليوم الذي سيكون لك فيه زوجة وأولاد أصحّاء تعتزُّ بسلامة عقولهم! أتمنّى لو جاءتك بنت أن تُطلق عليها اسمي، فنحن بطبعنا نحبُّ أن نترك خلفنا أثراً وإن كان هذا الأثر مجرّد أحرف مكتوبة بشهادة الميلاد لن تُغني ولن تسمن!

هناك أمر أخير أودّ أن أطلعك عليه. أخجل من نفسي كلّما مرّت بخاطري ذكراه الأليمة على قلبي. قل عنّي حقيرة، سافلة، لا قلب لها، ولكنّ ولهي بك سيُجبرك على أن تغفر لي خطاياي. لقد حاولتُ قتل أمّي. تسألني كيف؟ كنتُ أتمنّى أن أصحو يوماً من نومي وصوت المقرئ يُرتّل عالياً في أرجاء البيت: «يا أيّتها النفس المطمئنّة، ارجعي إلى ربّكِ راضية مرضيّة..». الله لم يُحقّق أمنيتي. وذات يوم، وكنت في الخامسة عشرة من عمري حينها، عائدة للتوّ من زيارة صديقتي أسماء، لمحتُ غرفة أمّي مضاءةً. كان أبي في الخارج يشتري لوازم للبيت. رأيتُ أمّي منسدحة على جنبها والشحوب ظاهر على معالم وجهها، وبجانبها على المنضدة كأس ماء. دنوتُ منها. سحبتُ الوسادة العلويّة. رغبت في كتم أنفاسها إلى الأبد. ارتعشت يداي. سقطت الوسادة من بين يديّ. اصطدم كوعي بكأس الماء التي تدحرجت على الأرض وتناثر حطامها. سمعتُ لهاث أبي وهو يتّجه

صوب الغرفة. قال: «الحمد لله أنّكِ هنا. ظننتُ أمّك قد آذت نفسها. بارك الله فيك يا ابنتي. لا تخافي، أمّكِ ستكون بخير». أسرعتُ الخطى باتّجاه غرفتي. طوال الليل ظللتُ أبكي بصوت مكتوم حتّى خلتُ نفسي أسمع أنين حبالي الصوتيّة وهي تحترق بجمر ضميري. أخذتُ أردّد بصوت خافت: «سامحيني يا أمّي.. آه لو تعرفين كم أحبّك، وكم أنا بحاجة إليكِ».

2

كانت تلك آخر رسالة كتبتها وجدان لضياء قبل أن تودّع العالم. وضعتها بجوارها على المنضدة وكتبت على الظرف بخط يدها: «إلى حبيبي وزوجي الغالي... ضياء». لبست منامتها البيضاء الشفافة التي ارتدتها ليلة عرسها. تمدّدت على سريرها. وضعت حولها أعواداً من زهرة التوليب التي طالما أحبّتها. أفرغت محتوى علبة حبوب الفاليوم بكاملها في جوفها. بدأ النعاس يُداعب عينيها. راحت في سبات الموت. في اليوم التالي، دخلت الخادمة عند الظهيرة للاطمئنان إليها. ألفت صفحة وجهها مصفرّة مدهونة بصبغة الموت، ويدها مطبقة على صورة قديمة تجمعها بأمّها وأبيها في تلك القرية الريفيّة الفرنسيّة. كانت الحجرة باردة. شعرت الخادمة بأطياف الموت تتسكّع بوقاحة في حنايا الغرفة. أطلقت شهقة جزعة. ركضت صوب الهاتف. أمسكت بدفتر تدوين الأرقام. بحثت بيديها المرتعشتين عن رقم ضياء. ضغطت على أزرار رقمه. ما إن ردّ حتى أخذت تنهنه باكية: «مستر ضياء... مدام وجدان ماتت». سمعت على الخط صوتاً يشهق مصحوباً بأنين مكتوم.